YO-CDP-523

*Jo Raciti, Town*
*Sept '82*

# LABORATORY MANUAL
## to accompany
# BASIC ITALIAN

*Grant Hall*
*(3rd Ω, piano)*
*laboratorio*
*996 - ~~3283~~ 1278*
*martedì — Tues*
*venerdì - Fri*
*domenica - Sun*

# LABORATORY MANUAL
## to accompany
# BASIC ITALIAN

**fifth edition**

**Charles Speroni**
**Carlo L. Golino**

Holt, Rinehart and Winston
New York ■ Chicago ■ San Francisco ■ Philadelphia ■ Montreal ■ Toronto ■ London ■
Sydney ■ Tokyo ■ Mexico City ■ Rio de Janeiro ■ Madrid

ISBN: 0-03-058177-X

Copyright © 1982 by CBS College Publishing
Address correspondence to:
383 Madison Avenue
New York, N.Y. 10017

All rights reserved
Printed in the United States of America
Published simultaneously in Canada
2 3 4  140  9 8 7 6 5 4 3 2 1

CBS COLLEGE PUBLISHING
Holt, Rinehart and Winston
The Dryden Press
Saunders College Publishing

# CONTENTS

# PREFACE

The *Laboratory Manual* for *Basic Italian*, fifth edition, is the student's guide to the tape program that accompanies the textbook. As is reflected in the *Laboratory Manual*, a tape sequence corresponds to each chapter of *Basic Italian*, providing opportunity for oral practice of new structures and for overall development of listening and speaking skills.

The taped material for each chapter (except the short "Introductory Lesson on Common Expressions") includes the following sections. (1) First, a dramatic reading of the chapter dialogue, providing additional exposure to authentic spoken Italian. In Chapters 1-4, this is followed by opportunity for sentence-by-sentence repetition of the lines of the dialogue for supplementary spoken practice. (2) Following the dialogue is the major section entitled "Grammatica." In this section, grammar exercises follow the ordering of grammar presentations in *Basic Italian* itself. Generally, two or three exercises are provided for each new point; these are sequenced for difficulty, beginning usually with a basic drill and progressing to more elaborate transformational practice. All exercises, except substitution and repetition drills, are four-phase. For very challenging exercises, cues are provided in the *Laboratory Manual*. With the exception of some substitution drills, which also appear in the textbook, the tape program exercises complement those appearing in the "Esercizi" section of *Basic Italian*. (3) The third section in each chapter is the "Conversazione." Students are asked to listen to a conversation recombining elements already practiced throughout the chapter and relating closely to the chapter theme. Listening comprehension questions follow the conversation. (4) Next, a dictation--the "Esercizio Scritto"--gives students the opportunity to write in Italian what they have heard orally. The sentences of this section incorporate chapter vocabulary and grammar. (5) Finally, in Chapters 1-20, a short pronunciation section, derived from the "Introductory Lesson on Pronunciation" in *Basic Italian*, provides students with another chance to pronounce Italian words and sounds.

Each chapter of the tape program, with the exception of the "Introductory Lesson on Common Expressions," is divided into two segments, designated as Part One and Part Two. Part One lasts 20 to 30 minutes, Part Two 15 to 20 minutes. Directions and models for exercises are given both in the *Laboratory Manual* and on tape. Dotted lines in the *Laboratory Manual* indicate where oral responses are required; solid lines indicate where answers are to be written out.

Barbara L. Lyons
Carola Burns Nicodano

# LABORATORY MANUAL
## to accompany
# BASIC ITALIAN

## INTRODUCTORY LESSON ON COMMON EXPRESSIONS

I.  Conversazione

*Listen to the complete conversation between a teacher and students.*
*Then, listen again, and repeat each sentence after the speaker.*

*Insegnante:* Buọn giorno
*Studente:* Buọn giorno
*Insegnante:* Mi chiamo Luisa Rossi
*Studenti:* Buọn giorno, signorina Rossi
*Insegnante:* Piacere! Come sta Lei?
*Studente:* Sto bene, grazie
*Insegnante:* Signorina, come si chiama Lei?
*Studentessa:* Mi chiamo Ẹlena Spada
*Insegnante:* Piacere! Come sta?
*Studentessa:* Bene, grazie
*Insegnante:* È americana Lei, signorina?
*Studentessa:* No, sono italiana.
*Insegnante:* Sei americano Alberto?
*Alberto:* Sì, signorina, sono americano.

*Come si chiama lei?*
*Mi chiama Alberto.*

*Come va?*
*Va bene.*
*non c'è male*
*molto bene*
*molto male*
*così-così*
*malissimo*

1

II. I numeri da uno a venti

A. *Repeat each number after the speaker.*

uno due tre quattro cinque sei sette otto nove dieci
undici dodici tredici quattordici quindici sedici diciassette
diciotto diciannove venti

B. *After you hear each number, state what the preceding number is.
Then repeat the correct response after the speaker.*

Esempio: tre *due*

| | |
|---|---|
| *quattro* | *sei* |
| *quattordici* | *diciannove* |
| *otto* | *sedici* |
| *quindici* | *dieci* |

C. *Add each pair of numbers. Then repeat the correct response after
the speaker.*

Esempio: quattro e cinque *nove*

| | |
|---|---|
| *diciassette* | *dieci* |
| *tredici* | *diciannove* |
| *undici* | |

III. I giorni della settimana

A. *Repeat each day of the week after the speaker.*

lunedì martedì mercoledì giovedì venerdì sabato domenica

B. *After the speaker says what day it is today, state what the day after
tomorrow will be. Then repeat the correct response after you hear it.*

Esempio: martedì *giovedì*

| | |
|---|---|
| *mercoledì* | *lunedì* |
| *sabato* | *venerdì* |
| *martedì* | |

2

## IV. Conversazione

*Listen to the complete conversation between a teacher and students. Then, listen again, and repeat each sentence after the speaker.*

**Insegnante:** Alberto, va' alla lavagna. ~blackbrd~

**Alberto:** Subito, signorina.

**Insegnante:** Leggi la frase.

**Alberto:** « Studio l'italiano. »

**Insegnante:** Emma, ripeti la frase.

**Emma:** « Studio l'italiano. »

**Insegnante:** « Parliamo italiano. » Ripetete.

**Studenti:** « Parliamo italiano. »

**Insegnante:** Chiudete i libri.

**Studenti:** Subito, signorina.

**Insegnante:** Rispondete in italiano. Come si dice «Thursday» in italiano?

**Studenti:** Giovedì.

**Insegnante:** Come si dice. . .? ecc.

PART I

I. Dialogo: La famiglia Borghini

*Listen carefully to the dialog as you read along.*

*La famiglia Borghini abita in un appartamento in un bell'edificio in periferia. In quest'appartamento ci sono due camere, il salotto, la sala da pranzo, la cucina e il bagno. Non è un appartamento grande ma è comodo. I Borghini hanno due figlie, Marina e Vanna. Marina ha diciotto anni e va alla Scuola Magistrale. Vanna ha venti anni ed[1] è impiegata in un'agenzia di viaggi. Il signor Borghini è ragioniere e lavora per una ditta di elettrodomestici. Oggi è venerdì. La signora Borghini ha bisogno di calze e di scarpe ed è pronta a uscire per andare al centro. Parla con Marina.*

| | |
|---|---|
| Signora Borghini: | Marina, vado al centro a fare delle compre. Vieni anche tu? |
| Marina: | No, mamma, non vengo perchè ho un appuntamento. Che compri? |
| Signora Borghini: | Delle scarpe e delle calze. Queste scarpe sono vecchie. |
| Marina: | Dove vai, alla Rinascente? |
| Signora Borghini | No, vado a quel negozio in Via Verdi. |
| Marina: | È un bel negozio. Là hanno dei bei vestiti e anche delle scarpe molto eleganti. |
| Signora Borghini: | Quando ritorni dall'appuntamento? |
| Marina: | Presto, perchè? |
| Signora Borghini: | Perchè stasera mangiamo presto. Io e papà andiamo al cinema. Ciao. |
| Marina: | Ciao, mamma. |

## II. Grammatica

A. *Combine each word and preposition, using the appropriate contraction with the definite article.*

Esempio:  in / edificio  *nell'edificio*

1. nella cucina
2. degli studente
3. sul di
4. dei ne

5. alle figle
6. della fra
7. nell'apartemento
8. sull'electrodome

B. *Change each sentence by substituting the preposition* in *for* su. *Then repeat the correct response after the speaker.*

Esempio:  È sull'automobile.  *È nell'automobile.*

1. è nel libro
2. è nel
3. è nella la casa

4. è nei riei
5. è nelle copie
6. è negli appunti

C. *Change each sentence by substituting the preposition* a *for* da. *Follow the model. Then repeat the correct response after the speaker.*

Esempio:  Ritorno dal centro.  *Vado al centro.*

1. alla
2. alla
3. al

4. agli
5. ai
6. alle

D. *Repeat the model sentence after the speaker. Then form new sentences by substituting the cued words. Make all necessary changes.*

Esempio:  Compro delle scarpe. (libri)  *Compro dei libri.*

degli elee
dei vestiti
delle calze

della carne
del pesce

E. *Make each sentence affirmative, using the appropriate partitive article. Then repeat the correct response after the speaker.*

Esempio:  Non ho parenti in Italia.  *Ho dei parenti in Italia.*

1. delle idee
2. della minestra
3. dagli esami

4. dagli questi
5. di te con amia
6. dei

28

F. *Change the demonstrative adjective* questo *in each sentence to the appropriate form of* quello. *Then repeat the correct response after the speaker.*

Esempio: Quest'appartamento è commodo. *Quell'appartamento è commodo.*

1. Quelle                    5. quella             ?
2. Quel                      6. ...
3. Quelli                    7. quello
4. quelli

G. *Answer each question negatively, following the model. Then repeat the correct response after the speaker.*

Esempio: Preferisci questo negozio? *No, preferisco quel negozio.*

1. non quella        perferiscono quella
perplesso
2. quelle scrap    5. preferisco quelli
perferisce quel vestito   6. perferisce quella

H. *Insert the appropriate form of the adjective* bello *in each sentence. Make all necessary changes. Then repeat the correct response after the speaker.*

Esempio: C'è un negozio. *C'è un bel negozio.*

1. C'è bella camera       4. bella vestito
2. un bell'impugata       5. bei libri
3. belle famile           6. bello studente

I. *Form a sentence from each word, following the model. Use the appropriate form of the adjective* bello. *Then repeat the correct response after the speaker.*

Esempi: edificio *È un bell'edificio.*
       libri *Sono dei bei libri.*

1. È mia bell'amica     4. Sono belle scrape
2. Sono belli          5.
3. È bell              6. bei negozio
                        6 Sono bei vestili

J. *Repeat the model sentence after the speaker. Then form new sentences by making the verb agree with the cued subject.*

Esempio: Vengo dall'appuntamento. (io e Bruno)
        *Veniamo dall'appuntamento.*

Marina viene dall'ap^ et    Vieni dall'ap ete
io+papa veniamo " "         Venite "
                            vengo " "
vengono " "
29

K. *Change each sentence from the singular to the plural or vice versa. Then repeat the correct response after the speaker.*

Esempio: Vengono dalla ditta. *Viene dalla ditta.*

1. *Vengo dalla rina*
2. *Vengono dall'ap* — *venite*
3. *veniamo da quel negozio*
4. *viene dal cinema*
5. *vengono dal centro*
6. *viene dal a menzo Univ.*

PART II

III. Conversazione

Listen to the following conversation between a brother and sister, Carlo and Marina. Then, you will hear five incomplete statements about the conversation. Circle the letter that corresponds to the word or phrase that completes each statement correctly. Both the conversation and the statements will be read twice.

Domande:

1. (A) B C
2. (A) B C
3. A (B) C
4. A B (C)
5. (A) B C

IV. Esercizio scritto

Listen to each statement as it is read. Then write it down during the pause provided. Each sentence will be repeated twice.

1. *In questa appartamento vergono due camere.*

2. *Vanna è in nella di pu*

3. *Sono pronta a fare delle compre.*

30

4. Questo salotto è bello
   Quella camera è grande.
5. Abito in un bell'edificio
   in periferia.

V. Esercizi di pronuncia: Le consonanti *d, g*

*The consonant* d *is somewhat more explosive in Italian than in English, with the tongue near the tip of the upper teeth, but with no aspiration.*

*Repeat the following words after the speaker.*

di   dove   denaro   donna   moda   data   due   dodici   lunedì
undici

*The consonant* g *before* a, o, *and* u *is almost like the letter* g *in the English word* go.

*Repeat the following words after the speaker.*

gala   gondola   gusto   gonna   lungo   albergo   gamba   fungo   gomma
guanti

*The consonant* g *before* e *and* i *is almost like the letter* g *in the English word* gem.

*Repeat the following words after the speaker.*

gelato   pagina   gesso   gita   angelo   gente   gentile

31

PART I

I.  Dialogo:  Che bella giornata!

*Listen carefully to the dialog as you read along.*

*Oggi è domęnica. È una bella giornata di primavera. Vanna è vicino alla porta, pronta a uscire di casa, e parla con sua sorella.*

| | |
|---|---|
| Vanna: | Che bella giornata! |
| Marina: | Fantạstica. È un peccato stare a casa. |
| Vanna: | Davvero. Io, infatti, non resto a casa. |
| Marina: | No? Dove vai? |
| Vanna: | A fare una scampagnata con alcuni amici. |
| Marina: | Quali amici? |
| Vanna: | I miei sọliti amici, Gianni, Carlo, Adriana e Luisa. |
| Marina: | Andate con la nostra mạcchina? |
| Vanna: | No. Carlo porta la sua; è più grande. E tu che fai? |
| Marina: | Sto quị, purtroppo. Il professọr Tucci ha dato un sacco di lavoro per domani. |
| Vanna: | Che brutto scherzo! È domẹnica, è una splẹndida giornata. Oggi non è una giornata per studiare. |
| Marina: | Pazienza! |
| Vanna: | Hai veduto i miei occhiali da sole? |
| Marina: | No. Se non li trovi ti do i miei. |
| Vanna: | Grạzie. Li ho trovati. Ẹccoli, nella mia borsetta. |
| Marina: | Oh, ecco papà e mamma. |
| Signọr Borghini: | Noi andiamo a fare due passi alle Cascine. Voi che fate? |
| Vanna: | Io vado con alcuni amici. |
| Marina: | Io, invece, resto a casa a studiare. |
| Signora Borghini: | Mi dispiace. Desịderi qualche cosa? |
| Marina: | No, grạzie. |
| Vanna: | (*a Marina*) Ciao. Buọn divertimento! |
| Marina: | Quanto sei spiritosa! |

## II. Grammatica

A. *Change the possessive adjective from singular to plural or vice versa in each sentence. Then repeat the correct response after the speaker.*

Esempio: Vado con la nostra macchina. *Vado con la mia macchina.*

1. ....................
2. ....................
3. ....................
4. ....................
5. ....................
6. ....................

B. *Form new sentences, substituting the possessive adjective in each sentence. Then repeat the correct response after the speaker.*

Esempio: Conosco lo zio di Gianni. *Conosco suo zio.*

1. ....................
2. ....................
3. ....................
4. ....................
5. ....................
6. ....................

C. *Answer each question affirmatively, using the appropriate possessive adjective. Then repeat the correct response after the speaker.*

Esempio: Lei scrive alla figlia? *Sì, scrivo a mia figlia.*

1. ....................
2. ....................
3. ....................
4. ....................
5. ....................
6. ....................

D. *Elaborate upon each statement, following the models. Then repeat the correct response after the speaker.*

Esempi: Vede il papà di Marina. *Vede anche il suo.*
Cerco gli occhiali di Luigi. *Cerco anche i miei.*

1. ....................
2. ....................
3. ....................
4. ....................
5. ....................

E. *For each statement given, form a question to ask for further information. Follow the model. Then repeat the correct response after the speaker.*

Esempio: Mio zio ha scritto dei libri. *Quale zio ha scritto dei libri?*

1. ....................
2. ....................
3. ....................
4. ....................
5. ....................

F. *Ask the question that would elicit each response. Then repeat the correct response after the speaker.*

Esempio: Sono stata tre giorni a Roma. *Quanti giorni sei stata a Roma?*

1. ....................    4. ....................
2. ....................    5. ....................
3. ....................

G. *Substitute* alcuni(-e) *or* un po' di *appropriately in each sentence, making all necessary changes. Then repeat the correct response after the speaker.*

Esempi: Vado con degli amici. *Vado con alcuni amici.*
Desidero dello zucchero. *Desidero un po' di zucchero.*

1. ....................    4. ....................
2. ....................    5. ....................
3. ....................

H. *When appropriate, substitute* qualche *in each sentence, making all necessary changes. Then repeat the correct response after the speaker.*

Esempi: Ho scritto degli appunti. *Ho scritto qualche appunto.*
Ha preso della marmellata. *Ha preso della marmellata.*

1. ....................    4. ....................
2. ....................    5. ....................
3. ....................

I. *Repeat the model sentence after the speaker. Then form new sentences by making the verb agree with the cued subject.*

1. Esempio: Da i soldi al fruttivendolo. (io e Anna)
   *Diamo i soldi al fruttivendolo.*

   ....................    ....................
   ....................    ....................
   ....................    ....................

2. Esempio: Stiamo a casa tutto il giorno. (voi)
   *State a casa tutto il giorno.*

   ....................    ....................
   ....................    ....................
   ....................    ....................

47

J. *Answer each question, following the models. Then repeat the correct response after the speaker.*

Esempi: È stata a casa ieri? *No, ma oggi sto a casa.*
Hanno dato i compiti agli studenti ieri? *No, ma oggi danno i compiti agli studenti.*

1. ....................        4. ....................
2. ....................        5. ....................
3. ....................

PART II

III. Conversazione

*Listen to the following conversation between Carlo and Marina, early one morning. Then you will hear six incomplete statements about the conversation. Circle the letter that corresponds to the word or phrase that completes each statement correctly. Both the conversation and the statements will be read twice.*

Domande:

1. A    B    C        4. A    B    C

2. A    B    C        5. A    B    C

3. A    B    C        6. A    B    C

IV. Esercizio scritto

*Listen to each sentence as it is read. Then write it down during the pause provided. Each sentence will be repeated twice.*

1. _____

_____

2. _____

_____

3. _____

_____

4. _____

_____

5. _____

_____

V. Esercizi di pronuncia: *qu, r, s*

*The letters* qu *are always pronounced like the* qu *in the English word* quest.

*Repeat the following words after the speaker.*

questo    quale    quanto    quadro    quinto    quarto    quantità    qualità

*The letter* r *is different from the English* r. *It is pronounced with one flip of the tongue against the gums of the upper teeth. This is the trilled* r.

*Repeat the following words after the speaker.*

ora    albergo    arte    porta    tenore    baritono    orologio    sardina

*The consonant* s *sometimes is almost like the* s *in the English word* house.

*Repeat the following words after the speaker.*

casa    cosa    posta    pasta    pista    testa    'festa    riso    stufato

*The consonant* s *sometimes (and always before* b, d, g, l, m, n, r, *and* v *is almost like the* s *in the English word* rose.

*Repeat the following words after the speaker.*

rosa    frase    sbaglio    musica    susina    tesoro    svelto    smeraldo
sgridare    sbadato

PART I

I.  Dialogo:  La città dei canali

*Listen carefully to the dialog as you read along.*

*Due americani, il signor Wheaton e la signora Wheaton,
sono andati in Italia per vedere quattro città: Venezia,
Firenze, Roma e Napoli. Sono arrivati a Venezia ieri sera e in
questo momento il signor Wheaton entra in un'agenzia di
viaggi.*

| | |
|---|---|
| Impiegato: | Buona sera, desidera? |
| Signor Wheaton: | Desidero qualche informazione; desidero fare un giro della città. |
| Impiegato: | C'è un ottimo giro turistico domani. Comincia alle nove di mattina e finisce alle quattro del pomeriggio. |
| Signor Wheaton: | Bene. |
| Impiegato: | Comincia da Piazza San Marco. . . |
| Signor Wheaton: | Un momento . . . ha una . . . come si dice . . . map of Venice? |
| Impiegato: | Una pianta di Venezia? |
| Signor Wheaton: | Precisamente. |
| Impiegato: | (*Dà una pianta al signor Wheaton*) Ecco, se guarda sulla pianta vede qui Piazza San Marco. Il giro comincia qui a piedi perchè facciamo prima una visita alla chiesa di San Marco e al Palazzo dei Dogi. |
| Signor Wheaton: | E il Campanile? |
| Impiegato: | No, mi dispiace, il Campanile non è mai incluso in questo giro turistico. |
| Signor Wheaton: | Scusi, cosa dice? |
| Impiegato: | Dico, il Campanile non fa mai parte del giro. Poi con il vaporetto da Piazza San Marco andiamo all'isola di Murano. Lì visitiamo una vetreria e poi facciamo colazione. Dopo colazione, sempre in vaporetto, andiamo al Lido. |
| Signor Wheaton: | Ah bene, bene. |
| Impiegato: | Al Lido, se fa bel tempo, facciamo una passeggiata sulla spiaggia. |

Signor Wheaton:   E se fa cattivo tempo?
Impiegato:   In estate non fa quasi mai cattivo tempo, però se piove o tira vento il gruppo torna invece direttamente a Piazza della Stazione, e da lì a San Marco sul Canal Grande in vaporetto o in gondola.
Signor Wheaton:   Molto bene.
Impiegato:   Allora, desidera un biglietto?
Signor Wheaton:   Due biglietti, per favore, perchè viene anche mia moglie.


II.  Grammatica

   A.  *Make each sentence negative, using the indicated negative expression. Then repeat the correct response after the speaker.*

   Esempio:  Ho la pianta e i biglietti. (nè...nè)
   *Non ho nè la pianta nè i biglietti.*

   1. (nè...nè)              4. (mai) *non finisce mai*
   2. (mai) *No, visita mai*    5. (nè...nè) *non return ne vaporetto*
   3. (nè...nè)              6. (mai) *non comincia mai*
   *Andiamo ne chiesa ne al palazzo*

   B.  *Make each statement negative, using* niente *or* nessuno. *Then repeat the correct response after the speaker.*

   Esempi:  C'è un gruppo turistico nella vetreria.
   *No, non c'è nessuno nella vetreria.*
   Comprano una pianta di Venezia.  *No, non comprano niente.*

   1. *No non vendete niente*         4. *non porta niente*
   2. *No non pro nessuno*            5. *non centem niente*
   3. *No non viene nessuno*          6. *No non c'è nessuno*

   C.  *Answer each question negatively, using the appropriate negative expression. Then repeat the correct response after the speaker.*

   Esempio:  Ha visitato una chiesa e un palazzo?
   *No, non ha visitato nè una chiesa nè un palazzo.*

   1. *No non mai inchiesa*          4. *Non trava ne sorella ne*
   2. *venduto nessuno*              5. *non il gruppo mai*
   3. *non desidera niente*

   D.  *Answer each question negatively, using the appropriate form of the adjective* nessuno. *Then repeat the correct response after the speaker.*

   Esempio:  Hai sorelle?  *No, non ho nessuna sorella.*

   1. *No non abbiamo nessuno*       4. *trovata nessun*
   2. *Non c'è nes*                  5. *nessuna macchina*
   3. *abduti nessumo*

52

E. *Repeat the model sentence after the speaker. Then form new sentences by making the verb agree with the cued subjects.*

1. Esempio: Dice che il vaporetto è partito. (io)
   *Dico che il vaporetto è partito.*

   *Dicono* . . . . . . . . . . . . . . . . *dici* . . . . . . . . . . . . . . .
   *Dite* . . . . . . . . . . . . . . . . *Dice* . . . . . . . . . . . . . . .
   *Dice* . . . . . . . . . . . . . . . . *diciamo* . . . . . . . . . . . . . . .

2. Esempio: Non fa parte del gruppo. (gli impiegati)
   *Non fanno parte del gruppo.*

   *fanno* . . . . . . . . . . . . . . . . *faccio* . . . . . . . . . . . . . . .
   *facciamo* . . . . . . . . . . . . . . . *fa* . . . . . . . . . . . . . . .
   *fate* . . . . . . . . . . . . . . . . *fai* . . . . . . . . . . . . . . .

F. *Answer each question affirmatively, using the appropriate form of the verb* fare. *Then repeat the correct response after the speaker.*

Esempio: Fa caldo al Lido? *Sì, fa caldo al Lido.*

1. *Sì facciamo* . . . . . . . . . . . 4. *facciamo* . . . . . . . . . . .
2. *faccio* . . . . . . . . . . . 5. *facciamo* . . . . . . . . . . .
3. *fa* . . . . . . . . . . . 6. *faccio* . . . . . . . . . . .

G. *Answer each statement negatively, following the models. Then repeat the correct response after the speaker.*

Esempi: Fa una passeggiata con Bruno.
   *No, non ha mai fatto una passeggiata con Bruno.*
   Dico di no. *No, non hai mai detto di no.*

1. . . . . . . . . . . . . . . . . . . . 4. . . . . . . . . . . . . . . . . . . .
2. . . . . . . . . . . . . . . . . . . . 5. . . . . . . . . . . . . . . . . . . .
3. . . . . . . . . . . . . . . . . . .

H. *Answer the question* Che tempo fa? *by looking at each drawing. Then repeat the correct response after the speaker.*

Esempio:                                    *Nevica.*

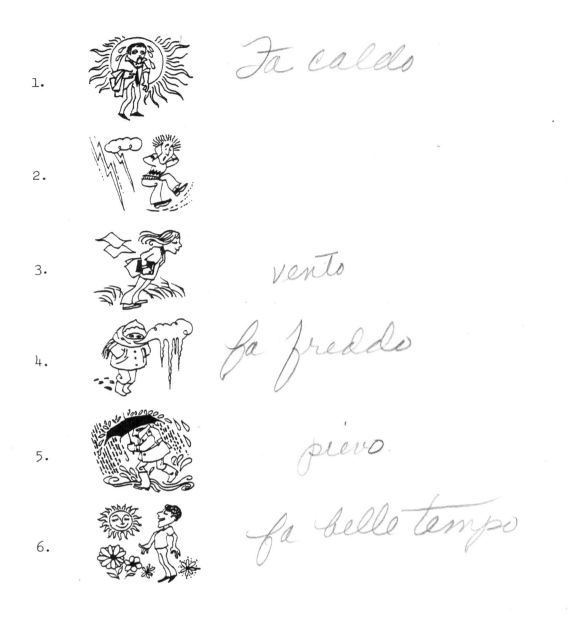

1. *Fa caldo*

2.

3. *vento*

4. *fa freddo*

5. *pieva*

6. *fa bello tempo*

I. *Change each weather expression to the* passato prossimo, *following the model. Then repeat the correct response after the speaker.*

Esempio: Fa molto caldo. *Ieri sera, non ha fatto molto caldo.*

1. *piovuto* ..............     4. *tirato* ..............
2. *fatto* ..............     5. *ha gira* ..............
3. *nevicato* ..............

PART II

III.  Conversazione

*Listen to the following conversation between Marina and Carlo, who are planning their tour of Venice. Then you will hear six incomplete statements about the conversation. Circle the letter that corresponds to the word or phrase that completes each statement correctly. Both the conversation and the statements will be read twice.*

Domande:

1.  A      B      C           4.  (A)      B      C

2.  A      B      (C)         5.  A      (B)      C

3.  (A)      B      C           6.  (A)      B      C

IV.  Esercizio scritto

*Listen to each sentence as it is read. Then write it down during the pause provided. Each sentence will be repeated twice.*

1. non torniamo ne in vaporetto ne in gondola

2. nessuno fa parte del gruppo

3. non ti dico niente.

4. non torni mai a casa a mangiare.

5. Dicono que a Venezia piove sempre

V. Esercizi di pronuncia: *sc, sch*

*The letters* sc *before* a, o, *and* u *are almost like the* sk *in the English word* ask.

*Repeat the following words after the speaker.*

ascoltare   pesca   toscano   scarpa   disco   scuola   tasca   scaloppine scultura

*The letters* sc *before* e *or* i *are almost like the* sh *in the English word* fish.

*Repeat the following words after the speaker.*

finisce   pesce   scena   uscita   sci   conoscere   scendere

*The letters* sch *occur only before* e *or* i *and are pronounced almost like the English letters* sk.

*Repeat the following words after the speaker.*

pesche   dischi   fiaschi   tasche   scheletro   lische

PART I

I.  Dialogo:  A Firenze

*Listen carefully to the dialog as you read along.*

> *I signori Wheaton sono a Firenze dove hanno trovato un albergo che gli piace molto. La loro camera dà sull'Arno. La Signora Wheaton desidera impostare alcune lettere che lei e suo marito hanno scritto a dei loro amici. Ora parla col portiere.*

| | |
|---|---|
| Portiere: | Buon giorno, signora, ha già fatto colazione così presto? |
| Signora Wheaton: | Sì, oggi abbiamo fatto colazione presto perchè stamani vogliamo visitare gli Uffizi, e nel pomeriggio il Duomo. Ma prima devo impostare queste lettere. Sa dov'è la posta? |
| Portiere: | L'ufficio postale è lontano, ma vendono francobolli anche al negozio qui all'angolo. |
| Signora Wheaton: | Benissimo! Così compro anche le sigarette per mio marito. Sa se è già aperto il negozio? |
| Portiere: | Sì, sì, a quest'ora è già aperto. |
| | |
| Signora Wheaton: | (*al commesso*) Dieci francobolli per posta aerea per gli Stati Uniti, per piacere. |
| Commesso: | Per lettere o per cartoline? |
| Signora Wheaton: | Per lettere. Che bei francobolli! |
| Commesso: | Sono nuovi, Le piacciono? |
| Signora Wheaton: | Molto. Specialmente questo con il Mosè di Michelangelo. Non ho spiccioli. Va bene se le do cinquemila lire? |
| Commesso: | Sì, certo! Ecco il resto. Arrivederla, signora. |
| | |
| Portiere: | È ritornata presto, signora. È vero che a quest'ora non c'è quasi nessuno nei negozi. Oh, ecco suo marito. Buon giorno, Signor Wheaton. |
| Signor Wheaton: | Buon giorno. |
| Portiere: | Allora, signori, gli piace Firenze? |
| Signor Wheaton: | Non lo sappiamo ancora. Non conosciamo affatto la città. |
| Portiere: | Se desiderano vedere il panorama di tutta la città, gli consiglio di andare a Piazzale Michelangelo. |
| Signor Wheaton: | Grazie. Lei è veramente molto gentile! |

II. Grammatica

A. *Repeat the model sentence after the speaker. Then form new sentences by substituting the cued indirect objects.*

Esempio: Le scrivo una lettera. (vi) *Vi scrivo una lettera.*

*Ti scrivo* " " *gli scrivo* " "
*scrivo loro* *Le scrivo*
*Vi scrive*

B. *Repeat the model sentence after the speaker. Then form new sentences by substituting the indirect object pronoun for the cued indirect object noun.*

Esempio: Gli dà dieci francobolli. (a Maria) *Le dà dieci francobolli.*

*Le da dieci* " *gli da dieci*
*da loro dieci* *da loro dieci*
*gli da dieci* *da loro dieci*

C. *Substitute the appropriate indirect object pronoun for the indirect object noun in each sentence. Then repeat the correct response after the speaker.*

Esempio: Consiglio al gruppo di tornare. *Gli consiglio di tornare.*

1. *Le da* 
2. *scrivo loro*
3. *telefono loro*
4. *Le vende*
5. *loro*

D. *Answer each question affirmatively, using the appropriate indirect object pronoun. Then repeat the correct response after the speaker.*

Esempi: Hai risposto al professore? *Sì, gli ho risposto.*
Mi ha telefonato ieri? *Sì, ti ha telefonato ieri.*

1. *li abbiamo*
2. *Vi consigliato*
3. *ti ho scritto*
4. *mi a*
5. *c'*
6.

E. *Answer each question, following the model. Then repeat the correct response after the speaker.*

Esempio: Questa è la tua borsetta? *Sì, è una mia borsetta.*

1. *Sì, è una mia cartolina*
2. *Sì, sono alcune nostri amici*
3. *Sì, è un mio visito*
4. *Sì, sono due miei clienti*
5. *Sì, sono alcuni miei libri*

58

F. *Repeat the model sentence after the speaker. Then form new sentences by substituting the cued words. Make all necessary changes.*

Esempio: Ci piace il panorama della città. (i negozi italiani)
*Ci piacciono i negozi italiani.*

*Ci piace questo .....*      *Ci piace la bella sp.*
*Ci piace .....*      *Ci piacciono*
*Ci piacciono.*

G. *Answer each question affirmatively, following the model. Then repeat the correct response after the speaker.*

Esempio: Loro piacciono alla signora. E noi?
*Anche noi piacciamo alla signora.*

1. *ni piace*      4. *piaccio*
2. *anch piace*      5. *piacciamo*
3. *piaciuta*      6. *piacciono*

H. *Form a question from each statement, following the model. Then repeat the correct question after the speaker.*

Esempio: Mi piace questo lavoro. *Ti è sempre piaciuto questo lavoro?*

1. *piaciuto*      4. .................
2. *piaciuti*      5. .................
3. .................     

I. *Repeat the model sentence after the speaker. Then form new sentences by making the verb agree with the cued subjects.*

Esempio: Sanno perchè non viene. (Luisa e io)
*Sappiamo perchè non viene.*

*So*      *Sanno*
*Sappiamo*      *So*
*sai*      *Sapete*

J. *Form sentences from the cued words, using* sapere *or* conoscere. *Follow the models.*

Esempi: i signori Borghini *Conosco bene i signori Borghini.*
la lezione *So bene la lezione.*

1. *Conosco*      4. *So*
2. *Conosco*      5. *Conosco*
3. *So*

PART II

III. Conversazione

*Listen to the following conversation between Mr. Wheaton and Mrs. Wheaton who are in Florence. Then you will hear six incomplete statements about the conversation. Circle the letter that corresponds to the word or phrase that best completes each statement. Both the conversation and the statements will be read twice.*

Domande:

1. (A)  B   C          4.  A  (B)  C
2. (A)  B   C          5.  A  (B)  C
3.  A  (B)  C          6.  A  (B)  C

IV. Esercizio scritto

*Listen to each sentence as it is read. Then write it down during the pause provided. Each sentence will be repeated twice.*

1. _Sa sì? il negozio a aperto_
2. _Ci sono alcuni nostri amici._
3. _Gli da la cartolina e i francobolli._
4. _Ci piaciono le cig l'italiane_
5. _So bene che così dire._

60

V. Esercizi di pronuncia:  Le consonanti *t, z*

*The consonant* t *in Italian is almost like the* t *in English, but no escaping of breath accompanies it in Italian.*

*Repeat the following words after the speaker.*

contento   arte   turista   telefono   carta   matita   antipasto

*The consonant* z *is sometimes voiceless, almost like the* ts *in the English word* bets.

*Repeat the following words after the speaker.*

zio   zia   grazie   negozio   zuppa   dizionario

*The consonant* z *is sometimes voiced, almost like the* ds *in the English word* beds.

*Repeat the following words after the speaker.*

zero   pranzo   gorgonzola   zebra   zabaione   zanzara

PART I

I. Dialogo: La Cappella Sistina

*Listen carefully to the dialog as you read along.*

*I signori Wheaton sono a Roma. Stamani, dopo la visita al Colosseo, desideravano vedere il Vaticano, perciò hanno preso l'autobus che porta a Piazza San Pietro e ora sono all'entrata della Cappella Sistina. C'è molta gente. Alcune persone guardano gli affreschi della volta, mentre un altro gruppo ammira il grande affresco del Giudizio Universale che è dietro all'altare. I Wheaton ascoltano un gruppo di studenti sardi.*

| | |
|---|---|
| Primo studente: | Che opera grandiosa! |
| Secondo studente: | Sì, veramente un capolavoro. |
| Prima studentessa: | Gli affreschi della volta rappresentano gli episodi della Genesi, non è vero? |
| Primo studente: | Sì. Sono tutti belli, ma io preferisco l'episodio della creazione dell'uomo. |
| Seconda studentessa: | Sì, specialmente il particolare della mano di Dio che dà vita ad Adamo. |
| Primo studente: | Lo sapevate che questa cappella è la sede del conclave quando c'è l'elezione del nuovo papa? |
| Seconda studentessa: | Sì, lo sapevo. |
| Secondo studente: | L'anno scorso sono stato qui a Roma una settimana e quasi tutti i giorni venivo al Vaticano. |
| Primo studente: | Ora andiamo a vedere il Giudizio Universale. (*Vanno verso l'altare e i Wheaton li seguono.*) |
| Signora Wheaton: | *Let's follow them. It's like a guided tour.* |
| Prima studentessa: | È veramente un affresco immenso. |
| Secondo studente: | Infatti, rappresenta sette anni di lavoro. |
| Primo studente: | Certamente uno sforzo sovrumano; ma Michelangelo faceva sempre sforzi sovrumani. |

*Gli studenti vanno verso l'uscita, invece i signori Wheaton restano più a lungo ad ammirare il famoso affresco.*

II.  Grammatica

A.  *Repeat the model sentence after the speaker.  Then form new sentences by making the verb agree with the cued subject.*

1.  Esempio:  Ammiravo la cappella tutti i giorni. (loro)
*Ammiravano la cappella tutti i giorni.*

....................          ....................
....................          ....................
....................          ....................

2.  Esempio:  Prendeva l'autobus ogni giorno. (tu)
*Prendevi l'autobus ogni giorno.*

....................          ....................
....................          ....................
....................          ....................

3.  Esempio:  Di solito venivamo a scuola. (io)
*Di solito venivo a scuola.*

....................          ....................
....................          ....................
....................

B.  *Change the verb in each sentence from the singular to the plural or vice versa.  Then repeat the correct response after the speaker.*

Esempio:  Tutti i giorni venivo al Vaticano.
*Tutti i giorni venivamo al Vaticano.*

1. ....................    4. ....................
2. ....................    5. ....................
3. ....................    6. ....................

C.  *Change each sentence to the imperfect tense, following the model. Then repeat the correct response after the speaker.*

Esempio:  L'autobus porta a Piazza San Pietro.
*Ogni giorno l'autobus portava a Piazza San Pietro.*

1. ....................    4. ....................
2. ....................    5. ....................
3. ....................    6. ....................

D. *Repeat the model sentence after the speaker. Then form new sentences by making the verb agree with the cued subject.*

1. Esempio: Aveva lezioni ogni giorno. (tu)
   *Avevi lezioni ogni giorno.*

   . . . . . . . . . . . . . . . . . .        . . . . . . . . . . . . . . . . . .
   . . . . . . . . . . . . . . . . . .        . . . . . . . . . . . . . . . . . .
   . . . . . . . . . . . . . . . . . .        . . . . . . . . . . . . . . . . . .

2. Esempio: Eravate sempre in ritardo. (noi)
   *Eravamo sempre in ritardo.*

   . . . . . . . . . . . . . . . . . .        . . . . . . . . . . . . . . . . . .
   . . . . . . . . . . . . . . . . . .        . . . . . . . . . . . . . . . . . .
   . . . . . . . . . . . . . . . . . .        . . . . . . . . . . . . . . . . . .

E. *Form new sentences, using the indicated cues and following the model. Then repeat the correct response after the speaker.*

Esempio: Adriana non aveva lezioni. (Le sue sorelle)
   *Purtroppo, le sue sorelle avevano lezioni.*

1. (voi)                     4. (tu)
2. (i compagni)              5. (Bruno)
3. (io)                      6. (noi)

F. *Repeat the model sentence after the speaker. Then form new sentences by making the verb agree with the cued subjects.*

1. Esempio: Dicevamo qualche parola. (loro)
   *Dicevano qualche parola.*

   *Dicevamo* . . . . . . . . . .        . . *dicevi* . . . . . . . .
   *dicevate* . . . . . . . . . .        . . *dicevo* . . . . . . . .
   *dicevano* . . . . . . . . . .        . . *diceva* . . . . . . . .

2. Esempio: Faceva sempre due passi a mezzogiorno. (tu e Franco)
   *Facevate sempre due passi a mezzogiorno.*

   *facevamo* . . . . . . . .        *facevate* . . . . . . . .
   *faceva* . . . . . . . .          *faceva* . . . . . . . .
   *facevi* . . . . . . . .          *facevo* . . . . . . . .

G. *Change each sentence to the imperfect tense, following the model.*
*Then repeat the correct response after the speaker.*

Esempio:  Mi ha detto di no.  *Di solito mi diceva di no.*

1. ..... *facevamo* .....      4. ..... *faceva* .....
2. ..... *facevamo* .....      5. ..... *dicevate* .....
3. ..... *diceva* .....        6. ..... *dicevano* .....

H. *Repeat the model sentence after the speaker. Then form new sentences by making both verbs agree with the cued subjects. Then repeat the correct response after the speaker.*

Esempio: Non è venuta perchè aveva freddo. (i compagni)
*Non sono venuti perchè avevano freddo.*

Sono venuti - avevamo          sono venuta - avevi
            aveva              sono venuti - avevate
è venuta - aveva              sono venuto - avevo

I. *Answer each question affirmatively, using the* imperfetto *and following the model. Then repeat the correct response after the speaker.*

Esempio: Fa brutto tempo oggi? *No, ma ieri faceva brutto tempo.*

1. avevo
2. desiderava
3. restavamo
4.
5. ritardavo

J. *Change each sentence from the present to the past tense, using the* imperfetto *or the* passato prossimo *as appropriate. Then repeat the correct response after the speaker.*

Esempi: È veramente un affresco immenso.
*Era veramente un affresco immenso.*
Andiamo a vedere il palazzo famoso.
*Siamo andati a vedere il palazzo famoso.*

hanno
1. Ascolato
2. faceva
3. eravamo
4. hai guardato
5. vedeva
6.

K. *Give the adverb that corresponds to each adjective.*

Esempio: facile *facilmente*

1. difficilmente
2. veramente
3. elegatmente
4. caramente
5. fortemente
6. spendimente
7. gentilemente
8. certamente

66

## III. Conversazione

*Listen to the following conversation between Carlo and Marina, who are in Rome. Then you will hear six incomplete statements about the conversation. Circle the letter that corresponds to the word or phrase that best completes each statement. Both the conversation and the statements will be read twice.*

Domande:

1. A   B   C       4. A   B   (C)

2. (A)   B   C       5. A   (B)   C

3. A   B   C       6. A   B   (C)

## IV. Esercizio scritto

*Listen to each sentence as it is read. Then write it down during the pause provided. Each sentence will be repeated twice.*

1. Gli affreschi erano stato molto belle.

2. Dicevano que rappresentare la creasone

3. Quando sono venuti ero a casa

4. Facevo tutti ma no capevo niente

5. Carlo ammirava l'affresco

V. Esercizi di pronuncia: Le consonanti *s* e *z* sorde e sonore

*As you will remember, the consonants s and z are sometimes unvoiced, sometimes voiced.*

*To review these consonants, first, repeat the following words containing the unvoiced s and z after the speaker.*

sole   sandalo   pista   seme   suono   casa   cosa   signore   posta
mese   senza   seno   zio   alzare   grazie   ozioso   vizio   nazione
lezione   frizione   zitto   zucchini   spinaci   aragosta   grissino

*Now, repeat the following words containing the voiced s and z after the speaker.*

frase   esame   museo   musica   rosa   sbaglio   uso   tesoro
visitare   dose   vaso   base   bronzo   garza   romanzo   zero   zeta
donzella   zabaione   zaino   zanzara   zotico   azzurro   mezzo
gazza   manzo

PART I

I. Dialogo: A Napoli

*Listen carefully to the dialog as you read along.*

*Tre giorni fa il signore e la signora Wheaton sono arrivati a Napoli in treno. Oggi è il 31 maggio e domani, venerdì primo giugno, è la data della loro partenza per l'America. Ieri l'altro hanno visitato Amalfi, Capri e, naturalmente, la famosa Grotta Azzurra. Ieri, invece sono stati a Pompei e ora fanno una passeggiata in tassì lungo il mare. Prima, però, la signora è andata in una delle banche vicino all'albergo.*

| | |
|---|---|
| Signora Wheaton: | Desidero cambiare questi assegni, per favore. |
| Impiegato: | Sono assegni per viaggiatori? |
| Signora Wheaton: | Sì. |
| Impiegato: | Ha il passaporto? |
| Signora Wheaton: | Sì, eccolo. |
| Impiegato: | Desidera lire o dollari? |
| Signora Wheaton: | Lire, per favore. |
| Impiegato: | Lei mi ha dato duecento dollari e io le do centosessanta mila lire. Ecco, signora. |

*La signora Wheaton esce dalla banca. Fuori suo marito l'aspetta in un tassì.*

| | |
|---|---|
| Tassista: | I signori sono fortunati. C'è un bel sole oggi e non fa caldo. |
| Signora Wheaton: | Dove siamo ora? |
| Tassista: | Proprio davanti al Teatro San Carlo. |
| Signor Wheaton: | È un teatro famoso come La Scala di Milano? |
| Tassista: | Per noi napoletani è anche più famoso. Ecco, lì a sinistra c'è il Palazzo Reale. È stato costruito verso il mille seicento. E ora andiamo a Santa Lucia. |
| Signora Wheaton: | È la Santa Lucia della famosa canzone? |
| Tassista: | Sì, una delle antiche canzoni napoletane. Scendono un momento? C'è una veduta bellissima. |
| Signora Wheaton: | Meravigliosa. Ecco, là c'è il Vesuvio, là Sorrento, e là Capri. |
| Signor Wheaton: | È davvero una veduta meravigliosa. |

II. Grammatica

A. *Say in Italian each number that is indicated below. Then repeat the correct number after the speaker.*

Esempio: 135 *cento trentacinque*

870                         1000
110                         1250
2.000.000                   2000
2600                        1.000.000

B. *Repeat the model sentence after the speaker. Then form new sentences by substituting each of the numbers given below. Repeat the correct response after the speaker.*

Esempio: Io le do centosessanta lire. (1200)
         *Io le do mille duecento lire.*

1500                        2400
350                         103
682

C. *In the space provided, write each number that you hear. Each number will be repeated twice.*

Esempio: due milioni *2.000.000*

_____        _____

_____        _____

_____        _____

D. *Say in Italian each year that is indicated below. Then repeat the correct response after the speaker.*

Esempio: 1963 *il mille novecento sessantatrè*

1937                        1831
1492                        902
1984

E. *Repeat the model sentence after the speaker. Then form new sentences by substituting each of the dates given below. Then repeat the correct response after the speaker.*

Esempio: Sono partiti il trenta giugno. (1/7)
         *Sono partiti il primo luglio.*

30/11                       1/1
1/9                         17/5
14/2

F.  *Answer the question* Quanti ne abbiamo oggi? *by using the number cues given below.   Then repeat the correct response after the speaker.*

Esempio:  Quanti ne abbiamo oggi? (10)  *Oggi ne abbiamo dieci.*

| | |
|---|---|
| 1 | 13 |
| 25 | 7 |
| 28 | 31 |

G.  *After yesterday's date is given, say what today's date is.   Then repeat the correct response after the speaker.*

Esempio:  Ieri era venerdì, trentuno maggio.
          *Oggi è sabato il primo giugno.*

1. ....................        4. ....................
2. ....................        5. ....................
3. ....................        6. ....................

H.  *In the space provided, write each date that you hear, following the model.*

Esempio:  il primo agosto mille novecento quarantanove
          *il primo agosto 1949*

_____

_____

_____

_____

_____

III. Conversazione

*Listen to the following conversation between Mrs. Wheaton and a taxi driver in Naples. Then you will hear six incomplete statements about the conversation. Circle the letter that corresponds to the word or phrase that best completes each statement. Both the conversation and the statements will be read twice.*

Domande:

1. A    B    C          4. A    B    C

2. A    B    C          5. A    B    C

3. A    B    C          6. A    B    C

IV. Esercizio scritto

*Listen to each sentence as it is read. Then write it down during the pause provided. Each sentence will be repeated twice.*

1. _____

_____

2. _____

_____

3. _____

_____

4. _____

_____

5. _____

_____

V. Esercizi di pronuncia: *gn, gli*

*To review the pronunciation of the letters* gn *and* gli, *repeat the following words after the speaker.*

legno  Bologna  giugno  ogni  stagno  magnolia  ognuno  sogno
montagna  insegnante  ingegnere  ragno  signore  castagna  figlio
egli  famiglia  battaglia  meglio  luglio  foglio  aglio
bottiglia  quaglia  foglia  maglia  tovagliolo  sbadigliare
sfogliare  svegliare

PART I

I. Dialogo: Andiamo al cinema?

*Listen carefully to the dialog as you read along.*

*Anche se, come in molti paesi del mondo, oggi in Italia quasi tutti hanno un televisore in casa, il cinema continua a essere popolare e ad attirare molte persone. In questi giorni è in visione un film di un giovane regista che ha avuto molto successo, non solo in Italia, ma anche negli Stati Uniti dove ha vinto un Oscar.*

*Due amiche, Adriana e Lidia, fanno la coda al botteghino del cinema.*

| | |
|---|---|
| Adriana: | Quanto tempo è che non ci vediamo? |
| Lidia: | Almeno due mesi. Non ho avuto un momento libero. Sai che stai molto bene? |
| Adriana: | Anche tu stai bene. |
| Lidia: | Senti, sei sicura che questo è un bel film? |
| Adriana: | Tutti dicono che è un film stupendo. |
| Lidia: | È un giallo? |
| Adriana: | No, no. È un film storico e in generale nei film storici ci sono molti bei costumi. |
| Lidia: | Io di solito preferisco i film che affrontano la politica, l'energia, oppure l'inquinamento dell'ambiente. |
| Adriana: | Mi ricordo che una volta eri appassionata dei film di Antonioni e di Visconti. |
| Lidia: | E tu dei film dell'*Underground* americano e di quelli di fantascienza. |
| Adriana: | È vero, mi entusiasmavo facilmente, ma i miei gusti sono cambiati. |
| Lidia: | Eccoci allo sportello. |
| La ragazza del botteghino: | Quanti biglietti? |
| Lidia: | Due. |
| Adriana: | Dove ci sediamo? |
| Lidia: | Nelle prime file perchè ho dimenticato gli occhiali a casa. |
| Adriana: | Troveremo posto perchè molte persone escono in questo momento. |

73

II. Grammatica

A. *Repeat the model sentence after the speaker.  Then form new sentences by making the verb agree with the cued subjects.*

1. Esempio:  Mi entusiasmo facilmente. (tu e Adriana)
   *Vi entusiasmate facilmente.*

   .....................          .....................
   .....................          .....................
   .....................          .....................

2. Esempio:  Vi siete divertiti al Lido. (molte persone)
   *Si sono divertite al Lido.*

   .....................          .....................
   .....................          .....................
   .....................          .....................

3. Esempio:  Non si è alzata. (loro) *Non si sono alzati.*

   .....................          .....................
   .....................          .....................
   .....................          .....................

4. Esempio:  Ci vediamo ogni giorno. (tu e Adriana)
   *Vi vedete ogni giorno.*

   .....................          .....................
   .....................          .....................
   .....................

B. *Form new sentences, using the indicated cue and following the model. Then repeat the correct response after the speaker.*

Esempio:  Mi ricordo questa storia. (loro)
          *Si ricordano questa storia.*

1. .....................        4. .....................
2. .....................        5. .....................
3. .....................        6. .....................

C. *Answer each question affirmatively, using the appropriate verb form and following the model.  Then repeat the correct response after the speaker.*

Esempio:  Desidera alzarsi presto? *Sì, si alza presto ogni giorno.*

1. .....................        4. .....................
2. .....................        5. .....................
3. .....................

74

D. *Form new sentences, using the* passato prossimo. *Then repeat the correct response after the speaker.*

Esempio: Ci vediamo tutti i giorni. *Ci siamo veduti tutti i giorni.*

1. ....................    4. ....................
2. ....................    5. ....................
3. ....................    6. ....................

E. *Answer each question affirmatively, using the appropriate verb form and following the model. Then repeat the correct response after the speaker.*

Esempio: Maria scriveva a Carlo di solito?
          *Sì, si scrivevano ogni giorno.*

1. ...................    4. ....................
2. ...................    5. ....................
3. ...................

F. *Repeat the model sentence after the speaker. Then form new sentences by making the verb agree with the cued subjects.*

Esempio: Ci sediamo nelle prime file. (tu e Lidia)
          *Vi sedete nelle prime file.*

...................    ...................
...................    ...................
...................    ...................

G. *Answer each question affirmatively, using the appropriate verb form. Then repeat the correct response after the speaker.*

Esempio: Vi sedete a questa tavola? *Sì, ci sediamo a questa tavola.*

1. ...................    4. ...................
2. ...................    5. ...................
3. ...................

H. *Repeat the model sentence after the speaker. Then form new sentences by making the verb agree with the cued subjects.*

Esempio: Usciamo dalla classe. (voi) *Uscite dalla classe.*

...................    ...................
...................    ...................
...................    ...................

I. *Form new sentences using the present tense.  Then repeat the correct response after the speaker.*

Esempio:  Uscivo dal cinema.  *Esco dal cinema.*

1. .....................     4. .....................
2. .....................     5. .....................
3. .....................     6. .....................

PART II

## III. Conversazione

*Listen to the following conversation between Carlo and Adriana. Then you will hear six questions about the conversation. Circle the letter that corresponds to the correct answer. Both the conversation and the questions will be read twice.*

Domande:

1. A    B    C          4. A    B    C

2. A    B    C          5. A    B    C

3. A    B    C          6. A    B    C

## IV. Esercizio scritto

*Listen to each sentence as it is read. Then write it down during the pause provided. Each sentence will be repeated twice.*

1. _____

_____

2. _____

_____

3. _____

_____

4. _____

_____

5. _____

_____

V.  Esercizio di pronuncia:  Le consonanti

*To review the pronunciation of Italian consonants, repeat the following words after the speaker.*

capo  Colosseo  cupola  carne  corto  aceto  noce  cenere  cibo
cipolla  bacio  cielo  caccia  cervo  cinema  cena  voce  buchi
chiave  perchè  che  chi  occhio  bicchiere  chiesa  chiuso
vecchio  ciao  camicia  provincia  denaro  donna  moda  nudo
noto  dove  adesso  dentro  diga  gusto  vago  doga  gola
lungo  droga  drago  gente  gelo  genere  fagiolini  gita
gentile  ingegno  lampada  lampone  tela  tarantella  harem
hanno  pepe  pasto  papa  papà  pappa  pretendere  quinto  quasi
quoziente  antiquario  acqua  acquedotto  quadro  quartetto  ferro
errore  guerra  caro  arido  resto  presto  minestra

PART I

I. Dialogo: Pista!

*Listen carefully to the dialog as you read along.*

*Ciò che molti non sanno è che oggi in Italia ci sono circa quattro milioni di sciatori. Da qualche anno lo sci è uno sport di moda e ogni anno il numero di sciatori aumenta. E così, in dicembre, gennaio e febbraio non è facile trovare una stanza libera in montagna, specialmente durante le vacanze di Natale quando molti studenti vanno a sciare. E poi, chi non sa sciare può andare in montagna a vedere la neve e a respirare l'aria pura, così diversa dall'aria contaminata delle città.*

*Per gli sciatori tutto è più semplice oggi; per esempio, chi vuole può raggiungere i campi di sci con la sciovia. Così c'è più tempo per le lunghe discese, specialmente per chi va soltanto per il sabato e la domenica. E dopo una lunga discesa sulle piste, a chi non piace riposarsi davanti al fuoco allegro di un bel caminetto?*

*In Italia ci sono molti centri invernali, come Cortina d'Ampezzo e Sestriere sulle Alpi. Ma ci sono centri invernali anche sugli Appennini: l'Abetone in Toscana, Roccaraso negli Abruzzi, l'Altopiano di Laceno a un'ora da Napoli, e molti altri.*

*Gianni e Franco hanno approfittato di alcuni giorni di vacanza e sono andati a sciare all'Abetone. Hanno appena finito una lunga discesa e ora si tolgono gli stivali.*

| | |
|---|---|
| Gianni: | Ti sei divertito? |
| Franco: | Molto. Non sciavo da due anni. Ma che freddo, però! |
| Gianni: | È vero, ma devi ammettere che l'aria di montagna fa bene. |
| Franco: | Vado d'accordo. Io sono un po' stanco, e tu? |
| Gianni: | Non sono stanco, ma mi fa male un piede. E ora? |
| Franco: | Be', c'è ancora un po' di sole e, se vuoi, possiamo ritornare a Firenze. |

## II. Grammatica

A. *Form new sentences, using the relative pronoun* che, *and following the model. Then repeat the correct response after the speaker.*

Esempio:   Gli studenti vanno a sciare.  *Sono gli studenti che vanno a sciare.*

1. ....................
2. ....................
3. ....................
4. ....................
5. ....................
6. ....................

B. *Form new sentences, using the relative pronoun* cui, *and following the model. Then repeat the correct response after the speaker.*

Esempio:   Parlavamo della sciovia.  *Ecco la sciovia di cui parlavamo.*

1. ....................
2. ....................
3. ....................
4. ....................
5. ....................
6. ....................

C. *Form new sentences using the cued infinitives and the relative pronoun* chi. *Follow the model. Then repeat the correct response after the speaker.*

Esempio:   studiare / imparare  *Chi studia, impara.*

1. ....................
2. ....................
3. ....................
4. ....................
5. ....................

D. *Form new sentences, using the indicated cue and following the model. Then repeat the correct response after the speaker.*

Esempio:   Non ci vediamo. (due anni) *Sono due anni che non ci vediamo.*

1. (cinque anni)
2. (tre giorni)
3. (due ore)
4. (un mese)
5. (due settimane)
6. (quattro giorni)

E. *Answer each question affirmatively, following the model. Then repeat the correct response after the speaker.*

Esempio:   Lidia è a Firenze?  *Sì, è a Firenze da alcune settimane.*

1. ....................
2. ....................
3. ....................
4. ....................
5. ....................

F. *Answer each statement negatively, following the model. Then repeat the correct response after the speaker.*

Esempio:   Studiavo l'italiano da un anno.
           *No, erano due anni che studiavi l'italiano.*

1. ....................      4. ....................
2. ....................      5. ....................
3. ....................      6. ....................

G. *Repeat the model sentence after the speaker. Then form new sentences by making the verb agree with the cued subjects.*

   1.  Esempio:  Devo ritornare a Firenze. (loro)
                      *Devono ritornare a Firenze.*

          ...................           ...................
          ...................           ...................
          ...................           ...................

   2.  Esempio:  Non potete sciare. (Lei)  *Non può sciare.*

          ...................           ...................
          ...................           ...................
          ...................           ...................

   3.  Esempio:  Voglio andare in montagna. (tu)
                      *Vuoi andare in montagna.*

          ...................           ...................
          ...................           ...................
          ...................           ...................

H. *Answer each question negatively, using the appropriate verb form and following the model. Then repeat the correct response after the speaker.*

Esempio:  Sai sciare?  *No, devo imparare a sciare.*

   1. ...................    4. ...................
   2. ...................    5. ...................
   3. ...................    6. ...................

I. *Form a question based on each statement, following the models. Then repeat the correct question after the speaker.*

Esempi:  Non potevo rispondere ieri.  *Oggi puoi rispondere?*
          Non volevamo sciare ieri.  *Oggi volete sciare?*

   1. ...................    4. ...................
   2. ...................    5. ...................
   3. ...................    6. ...................

## III. Conversazione

*Listen to the following conversation between Carlo and Marina. Then you will hear six questions about the conversation. Circle the letter that corresponds to the correct answer. Both the conversation and the questions will be read twice.*

Domande:

1. A   B   C         4. A   B   C

2. A   B   C         5. A   B   C

3. A   B   C         6. A   B   C


## IV. Esercizio scritto

*Listen to each sentence as it is read. Then write it down during the pause provided. Each sentence will be repeated twice.*

1. _____

_____

2. _____

_____

3. _____

_____

4. _____

_____

5. _____

_____

V. Esercizi di pronuncia: Le consonanti doppie

*In Italian all consonants except h can be doubled. They are pronounced much more forcefully than single consonants. With double f, l, m, n, r, s, and v, the sound is prolonged; with double b, c, d, g, p, and t, the stop is stronger than for a single consonant. Double z is pronounced almost the same as single z. Double s is always unvoiced.*

*Repeat the following words with double consonants after the speaker.*

babbo  evviva  mamma  bello  anno  basso  ferro  espresso
spaghetti  grissini  fettuccine  bistecca  albicocca  filetto
assai  ragazzo  pennello  tavolozza  cavalletto

*Now, repeat the following pairs of words, stressing the difference between the single and double consonants.*

pala  palla  /  rete  rette  /  pipa  Pippa  /  casa  cassa  /
fiero  ferro  /  cadi  caddi  /  lego  leggo  /  sete  sette  /
baca  bacca  /  nono  nonno  /  tufo  tuffo  /  rupe  ruppe  /
belo  bello  /  ufo  buffo  /  brama  mamma  /  mano  manna  /
caro  carro  /  copia  coppia  /  sono  sonno

PART I

I.  Dialogo:  A un bar

*Listen carefully to the dialog as you read along.*

> *Gli Italiani vanno al bar o al caffè per cento ragioni: per appuntamenti, per fare due chiacchiere con gli amici, per scrivere lettere, per leggere il giornale e, naturalmente, per prendere l'espresso o l'aperitivo.*
>
> *Adriana entra in un bar con Bob, un italo-americano che studia all'Università per Stranieri. Si sono conosciuti a casa di una cugina di Adriana alcune sere fa.*

| | |
|---|---|
| Cameriere: | Preferiscono sedersi fuori? |
| Bob: | Come fuori? Non vede che piove? |
| Cameriere: | Scherzavo. Va bene questo tavolo in un angolo? |
| Adriana: | Sì. |
| Cameriere: | Che prendono, un gelato? |
| Adriana: | Le piace scherzare! Con questo freddo? Io, un caffè. |
| Bob: | E io un cappuccino bollente. |
| Cameriere: | Benissimo, signori. |
| Bob: | Allora, che facciamo stasera? |
| Adriana: | Be', stamani ho telefonato a mia cugina e abbiamo deciso di andare a ballare. |
| Bob: | Dove, a casa sua? |
| Adriana: | No, andremo a una discoteca molto carina. |
| Bob: | Viene anche Gianni? |
| Adriana: | Vengono Gianni e Lidia. Gianni balla molto bene, sai. |
| Bob: | Vedrai che sono bravo anch'io. |
| Adriana: | Ci credo. |
| Bob: | Porterò la macchina fotografica, così la settimana prossima potrò mandare qualche fotografia a mia sorella. |
| Adriana: | O alla tua ragazza? |
| Bob: | No, no, a mia sorella. Lei sa tutti i balli moderni. Dove sarà il cameriere? Non è ancora tornato. |
| Adriana: | Eccolo. |
| Cameriere: | Prego, signori. Ecco il tè per la signorina e il cappuccino freddo per il signore. |
| Adriana: | Ma Lei scherza sempre? |
| Cameriere: | No, soltanto quando piove. |
| Bob: | (*più tardi*) Cameriere, il conto per favore. |
| Cameriere: | Pago io! |

II. Grammatica

A. *Repeat the model sentence after the speaker. Then form new sentences by making the verb agree with the cued subjects.*

    1. Esempio:  Porterò la macchina fotografica. (Adriana e Bob)
                  *Porteranno la macchina fotografica.*

              . . . . . . . . . . . . . . . . . . . . . .       . . . . . . . . . . . . . . . . . . .
              . . . . . . . . . . . . . . . . . . . . . .       . . . . . . . . . . . . . . . . . . .
              . . . . . . . . . . . . . . . . . . . . . .       . . . . . . . . . . . . . . . . . . .

    2. Esempio:  Leggeremo il giornale al caffè. (le sue sorelle)
                  *Leggeranno il giornale al caffè.*

              . . . . . . . . . . . . . . . . . .       . . . . . . . . . . . . . . . . . . .
              . . . . . . . . . . . . . . . . . .       . . . . . . . . . . . . . . . . . . .
              . . . . . . . . . . . . . . . . . .       . . . . . . . . . . . . . . . . . . .

    3. Esempio:  Preferirò il cappuccino. (noi)
                  *Preferiremo il cappuccino.*

              . . . . . . . . . . . . . . . . . .       . . . . . . . . . . . . . . . . . . .
              . . . . . . . . . . . . . . . . . .       . . . . . . . . . . . . . . . . . . .
              . . . . . . . . . . . . . . . . . .       . . . . . . . . . . . . . . . . . . .

B. *Answer each question negatively, following the model. Then repeat the correct response after the speaker.*

Esempio:  Porterai la fotografia? *No, non porterò la fotografia.*

    1. . . . . . . . . . . . . . . . . . .     4. . . . . . . . . . . . . . . . . . . . .
    2. . . . . . . . . . . . . . . . . . .     5. . . . . . . . . . . . . . . . . . . . .
    3. . . . . . . . . . . . . . . . . . .     6. . . . . . . . . . . . . . . . . . . . .

C. *Form a sentence from each verb or phrase, following the model. Then repeat the correct response after the speaker.*

Esempio:  telefonerò  *Quando arriverò, telefonerò.*

    1. . . . . . . . . . . . . . . . . . .     4. . . . . . . . . . . . . . . . . . . . .
    2. . . . . . . . . . . . . . . . . . .     5. . . . . . . . . . . . . . . . . . . . .
    3. . . . . . . . . . . . . . . . . . .     6. . . . . . . . . . . . . . . . . . . . .

D. *Form new statements, using the future tense and following the model. Then repeat the correct response after the speaker.*

Esempio:  Non ho telefonato oggi.  *Telefonerò domani.*

1. ....................    4. ....................
2. ....................    5. ....................
3. ....................    6. ....................

E. *Repeat the model sentence after the speaker.  Then form new sentences by making the verb agree with the cued subjects.*

1. Esempio:  Avremo il conto. (il cameriere)  *Avrà il conto.*

....................    ....................
....................    ....................
....................    ....................

2. Esempio:  Sarà al caffè. (gli impiegati)  *Saranno al caffè.*

....................    ....................
....................    ....................
....................    ....................

F. *Answer each question, using the future tense and the indicated cue. Then repeat the correct response after the speaker.*

Esempio:  Dov'è Gianni? (a un centro invernale)
          *Sarà a un centro invernale.*

1. (in montagne)            4. (alla casa di Bruno)
2. (allo sportello)         5. (davanti al bar)
3. (vicino al botteghino)

G. *Form new sentences, using the future tense and following the model. Then repeat the correct response after the speaker.*

Esempio:  Non avevo la risposta a mezzogiorno.  *L'avrò alle cinque.*

1. ....................    4. ....................
2. ....................    5. ....................
3. ....................    6. ....................

H. *Change each verb to the future tense. Then repeat the correct response after the speaker.*

Esempi: vado *andrò*  sapevo *saprò*

1. .....................    6. .....................
2. .....................    7. .....................
3. .....................    8. .....................
4. .....................    9. .....................
5. .....................   10. .....................


I. *Form new sentences, using the future tense and following the model. Then repeat the correct response after the speaker.*

Esempio: Non potevo andare al caffè oggi.
     *Però, potrò andare al caffè stasera.*

1. .....................    4. .....................
2. .....................    5. .....................
3. .....................    6. .....................

PART II

III. Conversazione

*Listen to the following conversation between Bob and Vanna. Then you will hear six questions about the conversation. Write the correct response to each question in the space provided. Both the conversation and the questions will be read twice.*

Domande:

1. _____

   _____

2. _____

   _____

3. _____

   _____

4. _____

   _____

5. _____

   _____

6. _____

   _____

IV. Esercizio scritto

*Listen to each sentence as it is read. Then write it down during the pause provided. Each sentence will be repeated twice.*

1. _____

   _____

2. _____

   _____

3. _____

_____

4. _____

_____

5. _____

_____

V.  Esercizi di pronuncia:  L'accento tonico

*Usually Italian words are stressed on the next-to-the-last syllable.*

*Repeat the following words after the speaker.*

amico   parlare   signorina

*Many words are stressed on the last syllable.  These words always have a written accent over the last vowel.*

*Repeat the following words after ths speaker.*

città   università   però   venerdì   virtù   cioè

*Some words stress the third syllable from the last (and a few the fourth from the last).*

*Repeat the following words after the speaker.*

utile   isola   timido   abitano

*It is useful to remember that the open e and o occur only in stressed syllables.*

*Repeat the following words after the speaker.*

automobile   telefono   nobile

90

PART I

I.  Dialogo:  Un incontro di calcio

*Listen carefully to the dialog as you read along.*

*Come tutti sanno il calcio è popolare in tutti i paesi del mondo, ma in particolare in Europa e nell'America Latina. Oggi il calcio comincia a essere popolare anche negli Stati Uniti. Agl'Italiani piacciono tutti gli sport: il calcio, lo sci, il tennis, il pugilato e le corse, ma lo sport preferito è il calcio, e ogni domenica milioni di tifosi seguono le partite di calcio o negli stadi o alla televisione. In Italia il settantacinque per cento della popolazione segue, almeno occasionalmente, gl'incontri di calcio per il campionato. Comunque, la metà lo fa regolarmente.*

*Mario e Michele sono appassionati per il calcio. Oggi è domenica e, seduti davanti al televisore, seguono la trasmissione di una partita fra il Milan e la Fiorentina.*

| | |
|---|---|
| Michele: | Va male per la Fiorentina perchè l'arbitro è partigiano. |
| Mario: | I nostri calciatori non gli sono simpatici! |
| Michele: | È invidia, perchè i nostri sono in ottima forma. |
| Mario: | Ecco Fattori; bravo Fattori, forza! |
| Michele: | Dài, bravo! Evviva, ha segnato. |
| Mario: | Ora siamo due a due. |
| Michele: | Ricordi quando la nostra squadra ha giocato in Spagna? |
| Mario: | Come no! Volevo andare a fare il tifo, ma il viaggio era troppo caro. |
| Michele: | Ma che fa Parducci? Dove ha imparato a giocare? |
| Mario: | Gli ultimi minuti sono sempre lunghi. |
| Michele: | Se continuano a giocare così stiamo freschi. |
| Mario: | Finalmente! La partita è finita. |
| Michele: | Be', meglio un pareggio che una sconfitta. Che ore sono? |
| Mario: | Sono appena le quattro e dieci. |
| Michele: | È presto. Perchè non giochiamo a carte? |
| Mario: | È un'ottima idea. Ma domani giochiamo a tennis, eh? |
| Michele: | D'accordo. |

II. Grammatica

A. *Answer each question affirmatively, following the model. Then repeat the correct response after the speaker.*

Esempio: Aveva francobolli? *Sì, i francobolli erano necessari.*

1. .....................
2. .....................
3. .....................
4. .....................
5. .....................
6. .....................

B. *Repeat the model sentence after the speaker. Then form new sentences by substituting the cued words. Make all necessary changes.*

1. Esempio: Verranno dall'Italia. (Sicilia) *Verranno dalla Sicilia.*

................... ...................
................... ...................
................... ...................

2. Esempio: Saranno in Russia. (Europa centrale)
   *Saranno nell'Europa centrale.*

................... ...................
................... ...................
................... ...................

3. Esempio: Andremo a Ischia. (America) *Andremo in America.*

................... ...................
................... ...................
................... ...................

C. *Form sentences from the cued words, following the models. Then repeat the correct response after the speaker.*

Esempi: Italia *L'Italia è un paese.*
Sicilia *La Sicilia è un'isola.*
Roma *Roma è una città.*

1. ...................
2. ...................
3. ...................
4. ...................
5. ...................
6. ...................
7. ...................
8. ...................

D. *Combine each cue with the indicated verb to form a complete sentence. Use a preposition if necessary. Then repeat the correct response after the speaker.*

Esempio: parlare italiano (impara) *Impara a parlare italiano*

1. (essere popolare)
2. (vedere il panorama)
3. (portare la macchina)
4. (imparare l'italiano)
5. (seguire la trasmissione)

E. *Answer each question, using the indicated cue and following the model. Then repeat the correct response after the speaker.*

Esempio: È venuto a giocare a carte? (seguire la trasmissione)
     *No, è venuto a seguire la trasmissione.*

1. (sciare)
2. (parlare francese)
3. (telefonare agli amici)
4. (riposarsi)
5. (vedere un film)
6. (andare a fare il tifo)

F. *Change each noun or adjective to the plural.*

Esempio: bianco *bianchi*

1. ....................
2. ....................
3. ....................
4. ....................
5. ....................
6. ....................
7. ....................
8. ....................

G. *Change each sentence from the singular to the plural. Then repeat the correct response after the speaker.*

Esempio: È il mio amico. *Sono i miei amici.*

1. ....................
2. ....................
3. ....................
4. ....................
5. ....................
6. ....................

PART II

III.  Conversazione

*Listen to the following conversation between Marina and Carlo about sports.
Then you will hear seven questions about the conversation. Write the
correct response to each question in the space provided. Both the conversation and the questions will be read twice.*

Domande:

1. _____

_____

2. _____

_____

3. _____

_____

4. _____

_____

5. _____

_____

6. _____

_____

7. _____

_____

IV. Esercizio scritto

*Listen to each sentence as it is read. Then write it down during the
pause provided. Each sentence will be repeated twice.*

1. _____

_____

2. _____

   _____

3. _____

   _____

4. _____

   _____

5. _____

   _____

V.  Esercizio di pronuncia:  Alcune parole analoghe

*To review Italian pronunciation, repeat the following cognates after the speaker.*

magnolia    volume    idea    radio    contento    morale    generale
economico    musica    arte    danza    televisione    immortale    geografia
filosofia    sociologia    dramma    poeta    attore    telegramma    dottore
aeroplano    pilota    dirigibile    aeroporto    ammirare    artificiale
artista    aspirina    angelo    autobus    banca    ballo    bravo    caffè
cardinale    cattedrale    centro    tragedia    commedia    divino
dizionario    esclamazione    frutta    gentile    lista    magnifico
medioevale    minore    opera    presente    programma    rispondere
sigaretta    tabacco

# 17

## PART I

I. Dialogo: Che accento ha?

*Listen carefully to the dialog as you read along.*

> *Eugenia, una signorina vicentina che ha studiato a Firenze*
> *e che insegna l'italiano in un liceo di Mantova, è ritornata a*
> *Firenze per una breve visita. In questo momento è nella sua*
> *camera in una pensione vicino alla stazione e telefona alla*
> *sua amica Adriana.*

| | |
|---|---|
| Eugenia: | Pronto? Adriana? Finalmente, è la quarta volta che provo. |
| Adriana: | Chi parla? |
| Eugenia: | Non riconosci la mia voce? Sono Eugenia. |
| Adriana: | Ah, ben tornata! Quando sei arrivata? |
| Eugenia: | Ieri sera alle 20. Mi tratengo quattro giorni a Firenze. |
| Adriana: | Sono rientrata pochi minuti fa. Ero andata a far la spesa con mia cugina. Ti ricordi di lei? |
| Eugenia: | Come no. Non è quella giovane donna che parla con un leggero accento siciliano? |
| Adriana: | No, quella è Carmela, mia cognata. |
| Eugenia: | Ora ricordo; sbagliavo. |
| Adriana: | Mia cugina è Laura, e lei parla con l'accento fiorentino come me. |
| Eugenia: | Allora, come vanno gli studi? |
| Adriana: | Non c'è male. Prenderò la laurea quest'anno. Ma tu non scrivi mai! |
| Eugenia: | Ho pensato a te tante volte, ma l'insegnamento non mi lascia un momento libero. Laura come sta? |
| Adriana: | Benissimo. L'ho vista giovedì scorso. Siamo andate a una commedia di Carlo Goldoni. |
| Eugenia: | Scommetto che era *La locandiera*. |
| Adriana: | No. Abbiamo visto *Arlecchino servitore di due padroni*. |
| Eugenia: | Fortunata te! Sai se la danno anche stasera? |
| Adriana: | No. Il lunedì il teatro è chiuso. E poi siamo andate all'ultima rappresentazione. Non ci crederai, ma era la quindicesima replica. |
| Eugenia: | Peccato! Be', senti, quando ci vediamo? |
| Adriana: | Se vuoi, oggi verso le quattro. Va bene? |
| Eugenia: | Benissimo. Allora, alle quattro davanta a Santa Maria Novella. |
| Adriana: | Ciao! |

II. Grammatica

A. *Change the disjunctive pronoun in each sentence from singular to plural or vice versa. Then repeat the correct response after the speaker.*

Esempio: Ti ricordi di lei? *Ti ricordi di loro?*

1. ....................
2. ....................
3. ....................

4. ....................
5. ....................
6. ....................

B. *Answer each question negatively, using the appropriate disjunctive pronoun. Then repeat the correct response after the speaker.*

Esempio: Vuoi provare con me? *No, non voglio provare con te.*

1. ....................
2. ....................
3. ....................

4. ....................
5. ....................
6. ....................

C. *Answer each question affirmatively, substituting the appropriate disjunctive pronoun for the direct object pronoun. Then repeat the correct response after the speaker.*

Esempio: Mi vede? *Sì, vede te.*

1. ....................
2. ....................
3. ....................

4. ....................
5. ....................
6. ....................

D. *Answer each statement, following the model. Then repeat the correct response after the speaker.*

Esempio: Loro ti vedono. *Ma tu non vedi loro.*

1. ....................
2. ....................
3. ....................

4. ....................
5. ....................
6. ....................

E. *Give the ordinal number that corresponds to each cardinal number.*

Esempio: nove *nono*

....................
....................
....................
....................
....................

....................
....................
....................
....................
....................

F. *Increase the ordinal number used in each sentence by two. Then repeat the correct response after the speaker.*

Esempio: È la quarta volta che provo. *È la sesta volta che provo.*

1. ......................     4. ......................
2. ......................     5. ......................
3. ......................     6. ......................

G. *Answer each question about the days of the week. Then repeat the correct response after the speaker.*

Esempio: Qual è il terzo giorno della settimana?
          *Mercoledì è il terzo giorno della settimana.*

1. ......................     4. ......................
2. ......................     5. ......................
3. ......................     6. ......................

H. *Change the subject of each sentence to the plural, making all necessary changes. Then repeat the correct response after the speaker.*

Esempio: La mia valigia è grigia. *Le mie valige sono grige.*

1. ......................     4. ......................
2. ......................     5. ......................
3. ......................

III. Conversazione

*Listen to the following conversation between Carlo and Adriana. Then you will hear eight questions about the conversation. Write the correct response to each question in the space provided. Both the conversation and the questions will be read twice.*

Domande:

1. _____

_____

2. _____

_____

3. _____

_____

4. _____

_____

5. _____

_____

6. _____

_____

7. _____

_____

8. _____

_____

IV. Esercizio scritto

*Listen to each sentence as it is read. Then write it down during the pause provided. Each sentence will be repeated twice.*

1. _____

_____

2. _____

_____

3. _____

_____

4. _____

_____

5. _____

_____

V. Esercizio di pronuncia: Alcuni nomi geografici

*To review Italian pronunciation, repeat the following geographic names after the speaker.*

Adige   Arno   Po   Tevere   Piave   Tirreno   Adriatico   Mediterraneo

Atlantico   Pacifico   Indiano   Artico   America   Europa   Asia

Africa   Australia   Canadà   Spagna   Francia   Italia   Russia   Umbria

Toscana   Veneto   Lombardia   Piemonte   Puglie   Basilicata   Calabria

Lazio   Sardegna   Sicilia   Olanda   Danimarca   Svizzera   Inghilterra

Londra   Parigi   Lisbona   Atene   Irlanda   Alpi   Appennini

Montagne Rocciose   Città del Vaticano

PART I

I.  Dialogo:  Due biglietti per due poltrone

*Listen carefully to the dialog as you read along.*

> *Eugenia e Adriana hanno comprato due biglietti per la rappresentazione di* Corruzione al Palazzo di Giustizia *di Ugo Betti. Ora sono nel ridotto durante l'intervallo fra il primo e il secondo atto.*

Eugenia:   Come t'ho detto, volevo vedere *Il servitore di due padroni* di Carlo Goldoni, ma ti confesso che il primo atto di questo dramma m'è piaciuto.

Adriana:   È un dramma serio, e a me piacciono i drammi seri.

Eugenia:   Gli attori sono dei veri artisti. A me Betti m'interessa perchè in uno dei miei corsi parlo un po' del teatro italiano moderno.

Adriana:   Non parli della *Commedia dell'arte?*

Eugenia:   Naturalmente; ne parlo in un corso che do ogni due anni sulla cultura italiana del Rinascimento.

Adriana:   E del Goldoni[1] non ne parli mai ai tuoi studenti?

Eugenia:   Sì che gliene parlo. È vero che le sue commedie rappresentano la vita veneziana del secolo diciottesimo, ma *Il servitore di due padroni* risale alla commedia improvvisata, cioè alla *Commedia dell'arte.*

Adriana:   Infatti uno dei personaggi è Arlecchino, che è una delle maschere più caratteristiche della *Commedia dell'arte.*

Eugenia:   Se non sbaglio, era una maschera bergamasca.

Adriana:   E infatti parla bergamasco.

Eugenia:   Poichè mi dicevi che conosci bene i drammi di Betti, perchè non me ne parli un po'?

Adriana:   Betti era giudice e la sua ispirazione deriva dalle crisi, dai problemi della giustizia e della responsabilità umana.

Eugenia:   Io questo non lo sapevo.

Adriana:   Te ne parlerò più a lungo fra il secondo e il terzo atto.

Eugenia:   Già. Infatti il secondo atto sta per cominciare.

## II. Grammatica

A. *Following the model, form a question from each statement. Then repeat the correct question after the speaker.*

Esempio: Ecco un mio figlio. *Quanti figli hai?*

1. ...................
2. ...................
3. ...................

4. ...................
5. ...................

B. *Form new sentences, using the plural of each word and following the model. Then repeat the correct response after the speaker.*

Esempio: il dramma *Vedranno i drammi.*

1. ...................
2. ...................
3. ...................

4. ...................
5. ...................
6. ...................

C. *Answer each question emphatically, following the model. Then repeat the correct response after the speaker.*

Esempio: Carlo l'ha confessato? *Sì, l'ha confessato Carlo.*

1. ...................
2. ...................
3. ...................

4. ...................
5. ...................
6. ...................

D. *Substitute the conjunctive pronoun* ne *in each sentence. Then repeat the correct response after the speaker.*

Esempio: Vuole dei biglietti. *Ne vuole.*

1. ...................
2. ...................
3. ...................

4. ...................
5. ...................
6. ...................

E. *Answer each statement, following the model and making all necessary changes. Then repeat the correct response after the speaker.*

Esempio: Ecco dei bei vestiti. *Ne compriamo molti!*

1. ...................
2. ...................
3. ...................

4. ...................
5. ...................
6. ...................

F. *Answer each question, using the indicated cue and following the model. Then repeat the correct response after the speaker.*

Esempio:  Quante commedie hai visto? (quattro) *Ne ho viste quattro.*

1. (due)                    4. (undici)
2. (uno)                    5. (due o tre)
3. (sei)                    6. (tre)

G. *Substitute the appropriate direct object pronoun for the direct object noun in each sentence. Make all necessary changes. Then repeat the correct response after the speaker.*

Esempio:  Ci danno un libro. *Ce lo danno.*

1. ....................    4. ....................
2. ....................    5. ....................
3. ....................    6. ....................

H. *Answer each question negatively, using the appropriate indirect object pronoun. Then repeat the correct response after the speaker.*

Esempio:  Lo dici a me? *No, non te lo dico.*

1. ....................    4. ....................
2. ....................    5. ....................
3. ....................    6. ....................

I. *Following the model, form a question from each statement, using a direct object pronoun. Then repeat the correct response after the speaker.*

Esempio:  Gli parlava del programma. *Finalmente, gliene parlava?*

1. ....................    4. ....................
2. ....................    5. ....................
3. ....................    6. ....................

J. *Substitute the appropriate object pronouns in each sentence. Then repeat the correct response after the speaker.*

Esempio:  Parlo agli amici del problema. *Ne parlo loro.*

1. Parla agli amici di suo marito.
2. Do gli spiccioli ai clienti.
3. Vendono della carne alla signora.
4. Parla a sua cognata della rappresentazione.
5. Dice il problema ai direttori.

K. *Answer each statement, using the appropriate object pronouns. Then repeat the correct response after the speaker.*

Esempio: Scrive molte lettere a sua madre.
*Sua madre non gliene scrive molte.*

1. Imposta molte cartoline a sua sorella.
2. Dà a noi molte sigarette italiane.
3. Dà a sua moglie gli spiccioli.
4. Legge le lettere a sua figlia.
5. Scrive molte lettere ai compagni.

PART II

III.  Conversazione

*Listen to the following conversation between Carlo and Adriana.  Then you will hear seven questions about the conversation.  Write the correct response to each question in the space provided.  Both the conversation and the questions will be read twice.*

Domande:

1. _____

_____

2. _____

_____

3. _____

_____

4. _____

_____

5. _____

_____

6. _____

_____

7. _____

_____

IV.  Esercizio scritto

*Listen to each sentence as it is read.  Then write it down during the pause provided.  Each sentence will be repeated twice.*

1. _____

   _____

2. _____

   _____

3. _____

   _____

4. _____

   _____

5. _____

   _____

V.  Esercizio di pronuncia:  Alcuni nomi propri

*To review Italian pronunciation, repeat the following proper names after the speaker.*

Dante   Petrarca   Boccaccio   Ariosto   Tasso   Goldoni   Manzoni

Leopardi   Pascoli   Carducci   Verga   Pirandello   Vittorini   Moravia

Montale   Quasimodo   Giotto   Donatello   Michelangelo   Leonardo

Raffaello   Bernini   Canova   Campigli   Manzù   Galvani   Volta

Marconi   Fermi

PART I

I. Dialogo: La Chiesa di Santa Croce

*Listen carefully to the dialog as you read along.*

*Eugęnia e Adriana si sono incontrate presto e sono andate direttamente in una libreria in Piazza Mercato Nuovo perchè Adriana voleva comprare l'ultimo romanzo di Ịtalo Calvino e un'antologia delle poesie di Eugęnio Montale. Da tempo le piacęvano i romanzi di Calvino e le poesie di Montale, vincitore del Pręmio Nobel nel 1975. Ora sono davanti alla Chiesa di Santa Croce e si sono avvicinate a un gruppo di turisti italiani che ascọltano la guida, una signorina fiorentina che conosce bene le chiese e i musei di Firenze.*

Guida: Andiamo da questa parte! Vęngano quị vicino a me. Dụnque, sono certa che molti di Loro hanno già visto questa chiesa, ma non importa. Ci sono delle cose che è bene vedere più volte. La chiesa di Santa Croce è una chiesa molto antica. Quella stạtua in mezzo alla grande piazza ẹ la stạtua di Dante Alighieri che, come ricọrdano, è l'autore della *Divina Commẹdia*. Quale italiano non sa a memọria alcuni versi di Dante? Dante veniva spesso in questa chiesa dove c'ẹrano degli eccellenti maestri. Naturalmente, la chiesa oggi non è come era nel sẹcolo tredicẹsimo. Allora era più pịccola e più sẹmplice. E ora, entriamo in chiesa . . . Come vẹdono, l'interno è molto bello e importante, non solo artisticamente, ma anche perchè ci sono le tombe di molti grandi Italiani: Michelạngelo, Niccolò Machiavelli, Galileo Galilei, Gioacchino Rossini, eccẹtera. C'è anche un cenotạfio . . . vẹngano, è questo; è una tomba vuota in onore di Dante. Come sanno Dante è sepolto a Ravenna. E ora andiamo a vedere gli affreschi di Giotto.

*Dopo circa un'ora la vịsita è finita e tutti ẹscono. Eugęnia e Adriana si avvịano sụbito verso Piazza del Duomo.*

Adriana: Veramente la guida non ha detto un gran che di nuovo.

Eugęnia: È vero, però è una ragazza spigliata e sa quello che dice. Per di più, io non ricordavo molte cose; ma non sono fiorentina come te!

Adriana: Sciocca! Abbi pazienza; entriamo un momento in questa cartoleria. Devo comprare una biro e della carta da scrịvere.

Eugęnia: Io t'aspetto fuori. Fa' presto, però, non provare tutte le penne che vedi.

II. Grammatica

A. *Repeat the model sentence after the speaker. Then form new sentences by giving the imperative form of the verb that corresponds to the cued subject.*

   1. Esempio:  Lascino alcuni momenti liberi.  (noi)
      *Lasciamo alcuni momenti liberi.*

      . . . . . . . . . . . . . . . . . .       . . . . . . . . . . . . . . . . .
      . . . . . . . . . . . . . . . . . .       . . . . . . . . . . . . . . . . .
      . . . . . . . . . . . . . . . . . .

   2. Esempio:  Legga questo romanzo di Calvino. (voi)
      *Leggete questo romanzo di Calvino.*

      . . . . . . . . . . . . . . . . . .       . . . . . . . . . . . . . . . . .
      . . . . . . . . . . . . . . . . . .       . . . . . . . . . . . . . . . . .
      . . . . . . . . . . . . . . . . . .

   3. Esempio:  Partiamo subito. (tu)  *Parti subito.*

      . . . . . . . . . . . . . . . . .        . . . . . . . . . . . . . . . . .
      . . . . . . . . . . . . . . . . .        . . . . . . . . . . . . . . . . .
      . . . . . . . . . . . . . . . . .

   4. Esempio:  Finiamo questa antologia. (voi)  *Finite questa antologia.*

      . . . . . . . . . . . . . . . . . .       . . . . . . . . . . . . . . . . .
      . . . . . . . . . . . . . . . . . .       . . . . . . . . . . . . . . . . .
      . . . . . . . . . . . . . . . . . .

B. *Change each statement to a command, following the model. Then repeat the correct response after the speaker.*

   Esempio:  Le consiglio di comprare l'antologia.  *Compri l'antologia.*

   1. . . . . . . . . . . . . . . . . . .       4. . . . . . . . . . . . . . . . . . .
   2. . . . . . . . . . . . . . . . . . .       5. . . . . . . . . . . . . . . . . . .
   3. . . . . . . . . . . . . . . . . . .

C.  *Answer each question, giving a direct command to the appropriate
person or persons.  Then repeat the correct response after the
speaker.*

Esempio:  Devo entrare in questa cartoleria?
          *Sì, entra in questa cartoleria.*

1. .................        4. .....................
2. .................        5. .....................
3. .................

D.  *Repeat the model sentence after the speaker.  Then form new sentences,
giving the imperative form of the verb that corresponds to the cued
subject.*

1.  Esempio:  Abbiamo pazienza! (Loro) *Abbiano pazienza!*

    .................        .................
    .................        .................
    .................

2.  Esempio:  Siate qui alle nove e un quarto. (Lei)
              *Sia qui alle nove e un quarto.*

    .................        .................
    .................        .................
    .................

E.  *Answer each statement with the appropriate command form of* avere *or*
essere, *following the models.  Then repeat the correct response
after the speaker.*

Esempi:  Aspetto da un'ora.  *Abbi pazienza!*
         Ti vedo domani.  *Sii qui verso le quattro.*

1. .................        4. .....................
2. .................        5. .....................
3. .................        6. .....................

F.  *Answer each question using a negative command.  Follow the model.
Then repeat the correct response after the speaker.*

Esempio:  Dottore, posso partire?  *No, non parta.*

1. .................        4. .....................
2. .................        5. .....................
3. .................        6. .....................

G. *Give the imperative that corresponds to each indicated verb form.*

Esempio:  loro fanno  *facciano*

1. .....................
2. .....................
3. .....................
4. .....................

5. .....................
6. .....................
7. .....................
8. .....................

H. *Form commands from the infinitive phrases, using the indicated cues. Then repeat the correct response after the speaker.*

Esempio:  fare presto (tu)  *Fa' presto.*

1. (voi)
2. (tu)
3. (tu)

4. (Lei)
5. (Loro)
6. (Loro)

PART II

## III. Conversazione

*Listen to the following conversation between Luigi and Maria. Then you will hear seven questions about the conversation. Write the correct response to each question in the space provided. Both the conversation and the questions will be read twice.*

Domande:

1. _____

_____

2. _____

_____

3. _____

_____

4. _____

_____

5. _____

_____

6. _____

_____

7. _____

_____

## IV. Esercizio scritto

*Listen to each sentence as it is read. Then write it down during the pause provided. Each sentence will be repeated twice.*

1. _____

_____

2. _____

_____

3. _____

_____

4. _____

_____

5. _____

_____

V. Esercizio di pronuncia: Alcuni nomi di persona

*To review Italian pronunciation, repeat the following first names after the speaker.*

Anna   Maria   Paolo   Vincenzo   Giovanni   Antonio   Luisa   Laura

Mirella   Teresa   Alberto   Gino   Gina   Mario   Carlo   Francesco

Carmela   Luciana   Luigi   Franco   Caterina   Piero   Pietro   Cesare

Giuseppe   Emma   Guido   Edoardo   Domenico   Silvia   Rosa   Maddalena

PART I

I. Dialogo: Dopo una conferenza

*Listen carefully to the dialog as you read along.*

*La conferenza del professor Balducci sulla poesia italiana moderna è finita. Adriana e Gianni escono di classe e si siedono su una panchina della piazza vicina.*

Adriana: Dimmi la verità, ti è piaciuta la conferenza?

Gianni: Sì, perchè il professor Balducci conosce bene la poesia moderna, in particolare quella di Ungaretti, Montale e Quasimodo.

Adriana: È un conferenziere brillante, ma non condivido le sue preferenze.

Gianni: Perchè? Non ti piace la poesia moderna?

Adriana: Non tutta. La poesia moderna è meno bella della poesia romantica.

Gianni: Io preferisco la poesia contemporanea, anche se non è così armoniosa come quella romantica.

Adriana: Per me la poesia contemporanea è troppo difficile.

Gianni: È meno difficile di quel che sembra.

Adriana: Io, invece, la trovo difficile.

Gianni: Allora ti piacerà la poesia crepuscolare.

Adriana: Sì, perchè la capisco.

Gianni: E poi perchè parla delle cose semplici. . .e a te piacciono le cose semplici!

Adriana: Non fare lo spiritoso!

Gianni: Ho detto semplici nel senso di umili. Ti piace Guido Gozzano?

Adriana: Sì, molto.

Gianni: Be', i gusti son gusti. Ma non mi negare, anzi ammetterai che oggi la poesia italiana è conosciuta fuori d'Italia più di una volta grazie a Ungaretti, Montale e Quasimodo.

Adriana: Sì, ma anche Dante e Petrarca erano conosciuti fuori d'Italia.

Gianni: Ma io non parlavo dei tempi antichi.

Adriana: Come sei noioso! Andiamocene.

II.  Grammatica

A.  *Repeat the model sentence after the speaker.  Then form new sentences by giving the imperative form of the verb that corresponds to the cued subject.*

1.  Esempio:  Da' la biro a Adriana! (voi)  *Date la biro a Adriana!*

......................          ......................
......................          ......................
......................

2.  Esempio:  Stiamo qui, su questa panchina. (voi)
            *State qui, su questa panchina.*

......................          ......................
......................          ......................
......................

3.  Esempio:  Dite a Carlo di telefonare stasera. (noi)
            *Diciamo a Carlo di telefonare stasera.*

......................          ......................
......................          ......................
......................

B.  *Answer each statement by giving a direct command to the appropriate person or persons.  Then repeat the correct response after the speaker.*

Esempio:  Voglio stare a Venezia domani.  *Bene, sta' a Venezia domani.*

1. ....................     4. ....................
2. ....................     5. ....................
3. ....................     6. ....................

C.  *Substitute the appropriate object pronoun in each command.  Then repeat the correct response after the speaker.*

Esempio:  Leggiamo questo poeta moderno.  *Leggiamolo.*

1. ....................     4. ....................
2. ....................     5. ....................
3. ....................     6. ....................

D.  *Form commands from each statement, following the model.  Then repeat the correct response after the speaker.*

Esempio:  Ti consiglio di comprare il libro.  *Compralo.*

1. ....................     4. ....................
2. ....................     5. ....................
3. ....................     6. ....................

116

E. *Answer each statement by giving a negative or affirmative command to the appropriate person or persons. Then repeat the correct response after the speaker.*

Esempio:   Non devo comprare questi biglietti.
           *Allora, non li comprare.*

1. ..................    4. ..................
2. ..................    5. ..................
3. ..................

F. *Form new statements in two ways, following the model. Then repeat the correct responses after the speaker.*

Esempio:   Lisa e sua sorella sono belle.
           *Lisa è bella come sua sorella.*
           *Lisa è bella quanto sua sorella.*

1. ..................    4. ..................
2. ..................    5. ..................
3. ..................

G. *Rephrase each statement, following the model. Then repeat the correct response after the speaker.*

Esempio:   Bruno è meno intelligente di Gianni.
           *Bruno non è intelligente come Gianni.*

1. ..................    4. ..................
2. ..................    5. ..................
3. ..................    6. ..................

H. *Rephrase each statement, following the model. Then repeat the correct response after the speaker.*

Esempio:   Stefano non è tanto grande quanto Bruno.
           *Bruno è più grande di Stefano.*

1. ..................    4. ..................
2. ..................    5. ..................
3. ..................    6. ..................

I. *Rephrase each statement, following the model. Then repeat the correct response after the speaker.*

Esempio:   È grande ma non è intelligente.
           *È più grande che intelligente.*

1. ..................    4. ..................
2. ..................    5. ..................
3. ..................    6. ..................

PART II

III.  Conversazione

*Listen to the following conversation between Vanna and Carlo, who seem
to have differing tastes in poetry.  Then you will hear seven questions
about the conversation.  Write the correct response to each question in
the space provided.  Both the conversation and the questions will be
read twice.*

Domande:

1. _____

_____

2. _____

_____

3. _____

_____

4. _____

_____

5. _____

_____

6. _____

_____

7. _____

_____

IV.  Esercizio scritto

*Listen to each sentence as it is read.  Then write it down during the pause provided.  Each sentence will be repeated twice.*

1. _____

_____

2. _____

_____

3. _____

_____

4. _____

_____

5. _____

_____

V.  Esercizio di pronuncia:  Alcuni proverbi

*To review Italian pronunciation, repeat the following proverbs after the speaker.*

Lontano dagli occhi, lontano dal cuore.

Dopo la pioggia viene il sereno.

Tutto il male non viene per nuocere.

Volere è potere.

Non c'è rosa senza spine.

La pratica val più della grammatica.

Chi sta bene non si muova.

Dio ti guardi da cattivo vicino e da principiante di violino.

PART I

I.  Dialogo:  Alla stazione ferroviaria

*Listen carefully to the dialog as you read along.*

> *Ieri Adriana ha ricevuto un telegramma da Roma: « Parto domani ore diciotto. Arriverò alle ventitrè. Vieni alla stazione. Marina. » Adriana è alla stazione da pochi minuti quando il treno arriva.*

Adriana:  Ciao, Marina. Hai fatto buon viaggio?

Marina:  Sì; ma sai? Mi è successa una cosa curiosa.

Adriana:  Ti sei innamorata d'un « romano de Roma! »

Marina:  Magari! Avevo appena cominciato a leggere *Eva,* quando sono entrate due vecchie signore nel mio scompartimento.

Adriana:  E così?

Marina:  Mi hanno detto: chiuda la rivista, signorina. Condivida questi deliziosi panini con la mortadella.

Adriana:  Hai accettato l'invito?

Marina:  No. Avevo mangiato con degli amici.

Adriana:  Sei stata scortese.

Marina:  No, loro sono state scortesi. Sai cos'hanno fatto? Si sono alzate e sono andate in un altro scompartimento.

Adriana:  Ricordo che non eri stata a Roma da qualche anno. Dimmi un po', cosa c'è di nuovo?

Marina:  Finalmente hanno finito un nuovo tratto della metropolitana, e hanno installato un *nastro trasportatore* che va da Piazza di Spagna a Villa Borghese. E poi è aumentato il numero di isole pedonali.

Adriana:  Meno male! Così ci sarà meno inquinamento e meno pericolo per gli antichi monumenti.

Marina:  E anche meno ingorghi di traffico, sebbene per me anche con gl'ingorghi Roma è la più bella città d'Italia.

Adriana:  Non esagerare. Diciamo che è una delle città più belle e più antiche d'Italia.

Marina:  Lo so che tu hai le tue preferenze!. . . Ma guarda un po', non c'è nemmeno un facchino.

Adriana:  Non importa. Qui ci sono dei carrelli.

Marina:  Meno male.

Adriana:  Lo sapevi che c'è lo sciopero dei tassisti a Firenze?

Marina:  Pazienza, prenderemo il filobus.

II. Grammatica

A. *Repeat the model sentence after the speaker. Then form new sentences by making the verb agree with the cued subjects.*

    1.  Esempio:  Avevo ricevuto un telegramma. (noi)
                     *Avevamo ricevuto un telegramma.*

            ....................        ....................
            ....................        ....................
            ....................        ....................

    2.  Esempio:  Erano venuti alla stazione ferroviaria. (il mio amico)
                     *Era venuto alla stazione ferroviaria.*

            ....................        ....................
            ....................        ....................
            ....................        ....................

B. *Answer each question negatively, following the model. Then repeat the correct response after the speaker.*

Esempio:  Eri arrivata alle sei?  *No, non ero ancora arrivata.*

    1. ....................      4. ....................
    2. ....................      5. ....................
    3. ....................      6. ....................

C. *Respond affirmatively to each statement, using the past perfect tense. Follow the model. Then repeat the correct response after the speaker.*

Esempio:  È tornata a casa?  *Sì, era già tornata a casa ieri.*

    1. ....................      4. ....................
    2. ....................      5. ....................
    3. ....................      6. ....................

D. *Amplify each statement, following the model. Then repeat the correct response after the speaker.*

Esempio:  Mi piaceva molto Roma.  *Così ci ero andato l'anno scorso.*

    1. ....................      4. ....................
    2. ....................      5. ....................
    3. ....................

E. *Form new statements using the superlative. Follow the model. Then repeat the correct response after the speaker.*

Esempio:  Sono dei monumenti interessanti della nostra città.
          *Sono i monumenti più interessanti della nostra città.*

1. ....................     4. ....................
2. ....................     5. ....................
3. ....................

F. *Form new statements following the model. Then repeat the correct response after the speaker.*

Esempio:  Questo monumento non è interessante.
          *È il monumento meno interessante della città.*

1. ....................     4. ....................
2. ....................     5. ....................
3. ....................     6. ....................

G. *Form new statements following the model. Then repeat the correct response after the speaker.*

Esempio:  *Il Corriere della sera* è il più noto giornale d'Italia.
          *Il Corriere della sera* è *il giornale più noto d'Italia.*

1. ....................     4. ....................
2. ....................     5. ....................
3. ....................     6. ....................

## PART II

III. Conversazione

*Listen to the following conversation between Marina and Carlo at the Rome railway station. Then you will hear seven questions about the conversation. Write the correct response to each question in the space provided. Both the conversation and the questions will be read twice.*

Domande:

1. _____

   _____

2. _____

_____

3. _____

_____

4. _____

_____

5. _____

_____

6. _____

_____

7. _____

_____

## IV. Esercizio scritto

*Listen to each sentence as it is read. Then write it down during the pause provided. Each sentence will be repeated twice.*

1. _____

_____

2. _____

_____

3. _____

_____

4. _____

_____

5. _____

_____

PART I

I.   Dialogo:  Davanti a un'edicola

*Listen carefully to the dialog as you read along.*

>*Sono le quattro del pomeriggio. Adriana e Marina ritornano
>a casa dall'università e si fermano davanti a un'edicola.*

Marina: (*al giornalaio*) Ha *La Nazione?*

Giornalaio: No, *La Nazione* è esaurita. Sa com'è, qui a Firenze la
comprano tutti.

Marina: Allora mi dia *La Stampa.*

Giornalaio: Benissimo, eccola. Sono quattrocento lire.

Marina: Ce l'ha il *Daily American?*

Giornalaio: Sì, guardi, è l'ultimo. Eccolo.

Adriana: Cos'è il *Daily American?*

Marina: Non lo conosci? È un giornale in lingua inglese che stampano
a Roma. Esce da molti anni. Lo devi leggere.

Adriana: Sì, sì, voglio leggerlo. Sarà molto utile per chi impara l'inglese.

Marina: Quando l'avrò finito, te lo darò; ma dovrai restituirmelo.

Adriana: Guarda com'è spinta la copertina di *Epoca!*

Marina: Mio padre dice sempre che i tempi sono cambiati.

Adriana: E il mio dice che il mondo va a rotoli.

Marina: Mia madre, poi, non capisce nè il divorzio nè il movimento
femminista.

Adriana: *Epoca* è una buona rivista, però.

Marina: Io di solito leggo *Oggi.*

Adriana: Io le leggo tutt'e due, ma sai qual è una rivista che mi piace
moltissimo?

Marina: Quale? *La rivista d'antropologia?*

Adriana: Non scherzare. La *Selezione* del *Reader's Digest.*

Marina: A me no. È una pessima rivista.

Adriana: Ma no! È piena d'informazioni e a volte dà anche il riassunto
d'un romanzo di successo.

Marina: È una rivista di divulgazione. Io preferisco le riviste di
discussione politica, per esempio *L'Espresso.*

Adriana: Ammetto che *L'Espresso* è un'ottima rivista.

Marina: Andiamo?

## II.  Grammatica

A.  *Repeat the model sentence after the speaker.  Then form new sentences by making the verb agree with the cued subjects.*

1.  Esempio:  Domani, l'avrò già finito.  (il maestro)
    *Domani, l'avrà già finito.*

. . . . . . . . . . . . . . . . . . .      . . . . . . . . . . . . . . . . . .
. . . . . . . . . . . . . . . . . . .      . . . . . . . . . . . . . . . . . .
. . . . . . . . . . . . . . . . . . .      . . . . . . . . . . . . . . . . . .

2.  Esempio:  Quando sarete partiti?  (il giornalaio)
    *Quando sarà partito?*

. . . . . . . . . . . . . . . . . . .      . . . . . . . . . . . . . . . . . .
. . . . . . . . . . . . . . . . . . .      . . . . . . . . . . . . . . . . . .
. . . . . . . . . . . . . . . . . . .      . . . . . . . . . . . . . . . . . .

B.  *Answer each question following the model.  Then repeat the correct response after the speaker.*

Esempio:  Quando gli darà i riassunti?
    *Quando li avrà finiti . . .*

1.  . . . . . . . . . . . . . . . . . .      4.  . . . . . . . . . . . . . . . . . .
2.  . . . . . . . . . . . . . . . . . .      5.  . . . . . . . . . . . . . . . . . .
3.  . . . . . . . . . . . . . . . . . .      6.  . . . . . . . . . . . . . . . . . .

C.  *Answer each question using the future perfect tense.  Follow the models.  Then repeat the correct response after the speaker.*

Esempi:  L'hanno letto sul giornale?
    *L'avranno letto sul giornale.*

Sono arrivati?
    *Saranno arrivati.*

1.  . . . . . . . . . . . . . . . . . .      4.  . . . . . . . . . . . . . . . . . .
2.  . . . . . . . . . . . . . . . . . .      5.  . . . . . . . . . . . . . . . . . .
3.  . . . . . . . . . . . . . . . . . .      6.  . . . . . . . . . . . . . . . . . .

D.  *Repeat the model sentence after the speaker.  Then form new sentences by making the verb agree with the cued subjects.*

1.  Esempio:  Avrò avuto bisogno del riassunto.  (i direttori)
    *Avranno avuto bisogno del riassunto.*

. . . . . . . . . . . . . . . . . . .      . . . . . . . . . . . . . . . . . .
. . . . . . . . . . . . . . . . . . .      . . . . . . . . . . . . . . . . . .
. . . . . . . . . . . . . . . . . . .      . . . . . . . . . . . . . . . . . .

2. Esempio: Saremo stati alla stazione ferroviaria. (la guida)
   *Sarà stata alla stazione ferroviaria.*

..................... .....................
..................... .....................
..................... .....................

E. *Answer each question affirmatively. Then repeat the correct response after the speaker.*

Esempi: Avrete avuto una discussione utile?
*Sì, finalmente, avremo avuto una discussione utile.*

Sarà arrivata stasera?
*Sì, finalmente, sarà arrivata.*

1. .................... 4. ....................
2. .................... 5. ....................
3. .................... 6. ....................

F. *Complete each statement following the model. Then repeat the correct response after the speaker.*

Esempio: Quando Maria arriverà a Venezia, . . .
*Quando Maria arriverà a Venezia, sarà già stata a Roma.*

1. Quando gli autori arriveranno alla stazione ferroviaria, . . .

2. Quando le donne arriveranno a Capri, . . .

3. Quando arriveremo nell'Italia centrale, . . .

4. Quando arriverò al Lido, . . .

5. Quando la guida arriverà in Francia, . . .

6. Quando arriverai a Milano, . . .

G. *Form new sentences substituting the appropriate object pronoun for the object of the infinitive. Then repeat the correct response after the speaker.*

Esempio: Saremo andati a parlare a Maria.
*Saremo andati a parlarle.*

1. .................... 4. ....................
2. .................... 5. ....................
3. .................... 6. ....................

H. *Form new sentences substituting a second object pronoun for the object of the infinitive. Then repeat the correct response after the speaker.*

Esempio:  Vuole venderci due riviste.
*Vuole vendercene due.*

1. ...................     4. ...................
2. ...................     5. ...................
3. ...................     6. ...................

I. *Form new statements following the model. Then repeat the correct response after the speaker.*

Esempio:  È una rivista molto spinta.
*È una rivista spintissima.*

1. ...................     4. ...................
2. ...................     5. ...................
3. ...................

J. *Form new statements following the model. Then repeat the correct response after the speaker.*

Esempio:  La copertina è bianchissima.
*La copertina è assai bianca.*

1. ...................     4. ...................
2. ...................     5. ...................
3. ...................     6. ...................


PART II


III. Una conversazione

*Listen to the following conversation between Bob and Vanna. Then you will hear seven questions about the conversation. Write the correct response to each question in the space provided. Both the conversation and the questions will be read twice.*

Domande:

1. _____

_____

2. _____

_____

3. _____

_____

4. _____

_____

5. _____

_____

6. _____

_____

7. _____

_____

IV. Esercizio scritto

*Listen to each sentence as it is read. Then write it down during the pause provided. Each sentence will be read twice.*

1. _____

_____

2. _____

_____

3. _____

_____

4. _____

_____

5. _____

_____

PART I

I.   Dialogo:  Dopo la visita a una mostra

*Listen carefully to the dialog as you read along.*

> *Adriana è stata con i suoi genitori a Forte Belvedere dove c'è una mostra dedicata alla storia del Maggio Musicale fiorentino, e ora sono seduti a una tavola in un ristorante in Borgo San Jacopo.*

| | |
|---|---|
| Signora Maratti: | Certo che la veduta di Firenze dal Forte Belvedere è meravigliosa. |
| Signor Maratti: | Potrei andarci tutte le settimane e sono sicuro che non mi annoierei. |
| Adriana: | Ricordo benissimo quando siamo andati lassù a vedere la mostra delle sculture di Henry Moore. |
| Signora Maratti: | Indimenticabile! Ma dovete ammettere che anche la mostra del Maggio Musicale è stupenda. |
| Cameriere: | Buon giorno, signori. Che cosa prendono oggi? |
| Signora Maratti: | Io una minestra in brodo e poi pollo arrosto e insalata di radicchio. |
| Adriana: | Io tagliatelle alla bolognese e fritto misto. |
| Signor Maratti: | Per me, minestrone di riso e bollito. |
| Cameriere: | Acqua minerale? |
| Signor Maratti: | Sì, acqua minerale gassata e vino bianco della casa. |
| Signora Maratti: | Avresti dovuto ordinare acqua minerale senza gas; l'acqua gassata fa male. |
| Signor Maratti: | Storie! Anzi, fa bene. |
| Adriana: | Sai, papà, una visita non basta; io vorrei proprio vedere la mostra una seconda volta. |
| Signor Maratti: | Sono d'accordo. Ti rendi conto che ci sono circa mille bozzetti, figurini, costumi, e tante altre cose nella mostra? |
| Signora Maratti: | È una vera storia degli spettacoli del Maggio Musicale dal 1933 a oggi. |
| Adriana: | Quanto vorrei il bozzetto di De Chirico per *I Puritani!* |
| Cameriere: | Ecco il pane, l'acqua minerale e il vino, signori. |
| Signor Maratti: | *(brinda alla salute di Adriana)* Auguri! Cento di questi giorni! |
| Adriana: | Grazie, papà! L'avevo dimenticato; oggi festeggiamo il mio compleanno. |

## II. Grammatica

A.  *Repeat the model sentence after the speaker. Then form new sentences by making the verb agree with the cued subjects.*

1.  Esempio:  Festeggeremmo il suo compleanno.  (le mie sorelle)
    *Festeggerebbero il suo compleanno.*

    ...................  ...................
    ...................  ...................
    ...................  ...................

2.  Esempio:  Restituirebbe volentieri il bozzetto  (loro)
    *Restituirebbero volentieri il bozzetto.*

    ...................  ...................
    ...................  ...................
    ...................  ...................

B.  *Form statements using the conditional and following the model. Then repeat the correct response after the speaker.*

Esempio:  Volevo invitare la guida.
          *Ma non inviterei la guida ora.*

1.  ...................   4.  ...................
2.  ...................   5.  ...................
3.  ...................   6.  ...................

C.  *Answer each question affirmatively, using the conditional and following the model. Then repeat the correct response after the speaker.*

Esempio:  Parlerai a Adriana?
          *Sì, parlerei a Adriana volentieri.*

1.  ...................   4.  ...................
2.  ...................   5.  ...................
3.  ...................   6.  ...................

D.  *Repeat the model sentence after the speaker. Then form new sentneces by making the verb agree with the cued subjects.*

1.  Esempio:  Non avrei fretta.  (il cameriere)
              *Non avrebbe fretta.*

    ...................  ...................
    ...................  ...................
    ...................  ...................

2. Esempio:   Saremmo al cinema.   (voi)
              *Sareste al cinema.*

.....................        .....................
.....................        .....................
.....................        .....................

E.  *Form new sentences changing the verb from the present to the conditional.   Then repeat the correct response after the speaker.*

Esempio:   Non ho i biglietti.
           *Non avrei i biglietti.*

1. .....................     4. .....................
2. .....................     5. .....................
3. .....................     6. .....................

F.  *Change each verb to the conditional.   Then repeat the correct response after the speaker.*

Esempio:   vediamo
           *vedremmo*

1. .....................     6. .....................
2. .....................     7. .....................
3. .....................     8. .....................
4. .....................     9. .....................
5. .....................    10. .....................

G.  *Respond to each statement using the conditional and following the model.   Then repeat the correct response after the speaker.*

Esempio:   Lui sa la novità.
           *Io non saprei la novità.*

1. .....................     4. .....................
2. .....................     5. .....................
3. .....................     6. .....................

H.  *Repeat the model sentence after the speaker.   Then form new sentences by making the verb agree with the cued subjects.*

1. Esempio:   Avremmo ordinato il pollo.   (tu)
              *Avresti ordinato il pollo.*

. . . . . . . . . . . . . . . . . . . .          . . . . . . . . . . . . . . . . . . . .
. . . . . . . . . . . . . . . . . . . .          . . . . . . . . . . . . . . . . . . . .
. . . . . . . . . . . . . . . . . . .            . . . . . . . . . . . . . . . . . . . .

2. Esempio:   Sarebbe arrivato alle nove.   (noi)
              *Saremmo arrivati alle nove.*

. . . . . . . . . . . . . . . . . . .            . . . . . . . . . . . . . . . . . . .
. . . . . . . . . . . . . . . . . . .            . . . . . . . . . . . . . . . . . . .
. . . . . . . . . . . . . . . . . . .            . . . . . . . . . . . . . . . . . . .

I.  *Respond to each statement, using the conditional and following the models.  Then repeat the correct response after the speaker.*

Esempi:   Non era qui.
          *E non sarebbe stato qui più presto.*

          Non lo facevo.
          *E non l'avrei fatto più presto.*

1. . . . . . . . . . . . . . . . . . .     4. . . . . . . . . . . . . . . . . . . .
2. . . . . . . . . . . . . . . . . . .     5. . . . . . . . . . . . . . . . . . . .
3. . . . . . . . . . . . . . . . . . .     6. . . . . . . . . . . . . . . . . . . .

J.  *Form a sentence using each cued verb.  Follow the model.  Then repeat the correct response after the speaker.*

Esempio:   Telefonerei.
           *Ho detto che avrei telefonato.*

1. . . . . . . . . . . . . . . . . . .     4. . . . . . . . . . . . . . . . . . . .
2. . . . . . . . . . . . . . . . . . .     5. . . . . . . . . . . . . . . . . . . .
3. . . . . . . . . . . . . . . . . . .     6. . . . . . . . . . . . . . . . . . . .

K.  *Change each verb to the passato prossimo, using the appropriate auxiliary verb.  Follow the model.  Then repeat the correct response after the speaker.*

Esempio:   Mangio.
           *Non ho potuto mangiare.*

1. . . . . . . . . . . . . . . . . . .     4. . . . . . . . . . . . . . . . . . . .
2. . . . . . . . . . . . . . . . . . .     5. . . . . . . . . . . . . . . . . . . .
3. . . . . . . . . . . . . . . . . . .     6. . . . . . . . . . . . . . . . . . . .

134

PART II

III. Conversazione

*Listen to the following conversation between Mr. and Mrs. Maratti, who are living in Rome. Then you will hear seven questions about the conversation. Write the correct response to each question in the space provided. Both the conversation and the questions will be read twice.*

Domande:

1. _____

_____

2. _____

_____

3. _____

_____

4. _____

_____

5. _____

_____

6. _____

_____

7. _____

_____

IV.  Esercizio scritto

*Listen to each sentence as it is read.  Then write it down during the pause provided.  Each sentence will be repeated twice.*

1. _____

_____

2. _____

_____

3. _____

_____

4. _____

_____

5. _____

_____

PART I

I.  Dialogo:  Avrei preferito vedere "Un Ballo in Maschera"

*Listen carefully to the dialog as you read along.*

*Adriana ha fatto da guida a Bob, lo studente italo-americano che voleva vedere il* David *di Michelangelo nel Museo dell'Accademia. Ora camminano lungo un marciapiede di Via Cavour.*

Bob: Non ricordo bene, mi hai detto che il *David* è stato scolpito fra il 1503 e il 1505?

Adriana: No, fra il 1501 e il 1503. Si dice che il blocco di marmo. . .

Bob: Lo so, il blocco di marmo era difettoso. Era stato rifiutato da vari scultori.

Adriana: Vedi? Il bello del Museo dell'Accademia è che è un gran museo, ma allo stesso tempo è piccolo; si può vedere tutto in poco tempo.

Bob: È vero; invece il Museo degli Uffizi è così vasto che in un intero pomeriggio si possono vedere soltanto alcuni dei quadri più importanti.

Adriana: Pensa al povero turista che ha soltanto poche ore per gli Uffizi, Palazzo Pitti e l'Accademia.

Bob: Allora, andiamo al Teatro Comunale stasera?

Adriana: No, i biglietti per *Un Ballo in Maschera* sono esauriti. Dovrai contentarti del *Trovatore* domani sera.

Bob: Ora che sono stato avvertito non mi lamenterò, ma avrei preferito vedere il *Ballo in Maschera*.

Adriana: In ogni modo la musica ti piacerà perchè, come la musica del *Ballo in Maschera*, è stata scritta da Giuseppe Verdi.

Bob: Fermiamoci a questo bar; ti offro un toast.

Adriana: Accettato!

II. Grammatica

A. *Change each sentence from the command form to the reflexive form,
   following the model. Then repeat the correct response after the
   speaker.*

   Esempio:  Non legga qui.
             *Non si legge qui.*

   1. ....................      4. ....................
   2. ....................      5. ....................
   3. ....................

B. *Form new sentences using si as the subject. Then repeat the correct
   response after the speaker.*

   Esempio:  Tutti mangiavano molti panini.
             *Si mangiavano molti panini.*

   1. ....................      4. ....................
   2. ....................      5. ....................
   3. ....................

C. *Change each sentence to the passive voice. Then repeat the correct
   response after the speaker.*

   Esempio:  Il turista vedrà alcuni quadri.
             *Alcuni quadri saranno visti dal turista.*

   1. ....................      4. ....................
   2. ....................      5. ....................
   3. ....................

D. *Answer each question affirmatively, using the passive voice. Then
   repeat the correct response after the speaker.*

   Esempio:  Il cliente ha letto la rivista?
             *Sì, la rivista è stata letta dal cliente.*

   1. ....................      4. ....................
   2. ....................      5. ....................
   3. ....................

E. *Answer each question affirmatively, using the passive voice and
   following the model. Then repeat the correct response after the
   speaker.*

1. ....................     4. ....................
2. ....................     5. ....................
3. ....................     6. ....................

F. *Answer each question affirmatively, following the model. Then repeat the correct response after the speaker.*

Esempio:  Si può leggere presto questo libro?
           *Sì, questo libro si legge presto.*

1. ....................     4. ....................
2. ....................     5. ....................
3. ....................     6. ....................

G. *Repeat the model sentence after the speaker. Then form new sentences, substituting the cued words. Make all necessary changes.*

1. Esempio:  È un gran romanzo. (antologia)
            *È un grand'antologia.*

....................     ....................
....................     ....................
....................

2. Esempio:  Ammireremo la chiesa di Santa Croce. (Marco)
            *Ammireremo la chiesa di San Marco.*

....................     ....................
....................     ....................
....................

H. *Answer each question affirmatively, using the appropriate form of* grande. *Then repeat the correct response after the speaker.*

Esempio:  È un'artista?
          *Sì, è una grand'artista.*

1. ....................     4. ....................
2. ....................     5. ....................
3. ....................     6. ....................

## PART II

### III. Conversazione

*Listen to the following conversation between Mr. and Mrs. Maratti. Then you will hear six questions about the conversation. Write the correct response to each question in the space provided. Both the conversation and the questions will be read twice.*

Domande:

1. _____

_____

2. _____

_____

3. _____

_____

4. _____

_____

5. _____

_____

6. _____

_____

### IV. Esercizio scritto

*Listen to each of the following sentences as it is read. Then write it down during the pause provided. Each sentence will be repeated twice.*

1. _____

_____

2. _____

_____

3. _____

_____

4. _____

_____

5. _____

_____

PART I

I.    Dialogo:   Sul Ponte Vecchio

*Listen carefully to the dialog as you read along.*

*Un signore di Bari è entrato in una gioielleria sul Ponte Vecchio per comprare un regalo per sua madre e mentre guarda vari gioielli parla con l'orefice.*

Cliente:    Ha mai pensato di cambiare mestiere?
Orefice:    Lei scherza!
Cliente:    Perchè?
Orefice:    Nella mia famiglia siamo sempre stati orefici.
Cliente:    Sempre?
Orefice:    Be', quasi. Bastiano Signorini, un mio antenato, aprì una bottega a Firenze nel 1749 e fondò la Casa Signorini nel 1774.
Cliente:    E Lei quando ha cominciato a fare l'orefice?
Orefice:    Cominciai a lavorare in bottega quando avevo undici anni e presi la direzione degli affari quando morì mio padre sei anni fa.
Cliente:    La bottega è sempre stata qui sul Ponte Vecchio?
Orefice:    Sempre. Il negozio qui e la bottega su, al secondo piano.
Cliente:    Quante botteghe ci sono sul Ponte Vecchio?
Orefice:    Non so con precisione. Direi una cinquantina.
Cliente:    Tutte antiche?
Orefice:    Non tutte, ma la maggior parte. Alcune risalgono al Rinascimento, ai tempi di Cellini. Ma ormai l'artigianato tende a scomparire in Italia. L'industria ha cambiato tante cose e a volte penso che andiamo di male in peggio.
Cliente:    Ha figli Lei?
Orefice:    Sì, uno.
Cliente:    Suo figlio ha intenzione di continuare la tradizione della famiglia?
Orefice:    È meglio non parlarne. Ha dodici anni ora e gl'interessa soltanto lo sport e la musica rock.

143

Cliente: Ritorniamo al regalo per mia madre quando torno a Bari. . .
Orefice: Mi lasci aprire questa scatola. . .
Cliente: Con la Sua storia affascinante degli orefici di Ponte Vecchio
        dimenticavo perchè sono entrato qui.
Orefice: Le consiglio quest'anello; un piccolo capolavoro.
Cliente: O forse andrebbe meglio uno di questi orologi con il topolino.
Orefice: Al signore piace scherzare. Li tengo per i turisti. Non sono
        opere d'arte, ma dobbiamo contentare tutti.

## II. Grammatica

A. *Contradict each statement using the appropriate irregular comparative
adjective. Then repeat the correct response after the speaker.*

   Esempio: Questa gioielleria è buona come quella.
            *No, questa gioielleria è migliore di quella.*

   1. . . . . . . . . . . . . . . . . . .     4. . . . . . . . . . . . . . . . . . .
   2. . . . . . . . . . . . . . . . . . .     5. . . . . . . . . . . . . . . . . . .
   3. . . . . . . . . . . . . . . . . . .

B. *Answer each question using the appropriate irregular superlative
adjective. Follow the model. Then repeat the correct response
after the speaker.*

   Esempio: È un buon orefice?
            *Sì, è il miglior orefice di tutti.*

   1. . . . . . . . . . . . . . . . . . .     4. . . . . . . . . . . . . . . . . . .
   2. . . . . . . . . . . . . . . . . . .     5. . . . . . . . . . . . . . . . . . .
   3. . . . . . . . . . . . . . . . . . .     6. . . . . . . . . . . . . . . . . . .

C. *Respond to each statement following the model. Then repeat the
correct response after the speaker.*

   Esempio: Quest'orologio è fatto bene.
            *Ma quello è fatto meglio.*

   1. . . . . . . . . . . . . . . . . . .     4. . . . . . . . . . . . . . . . . . .
   2. . . . . . . . . . . . . . . . . . .     5. . . . . . . . . . . . . . . . . . .
   3. . . . . . . . . . . . . . . . . . .

D. *Answer each question using the opposite superlative adverb. Then
repeat the correct response after the speaker.*

   Esempio: Il figlio lavora il più possible?
            *No, il figlio lavora il meno possible.*

1. .....................  4. .....................
2. .....................  5. .....................
3. .....................  6. .....................

E. *Repeat the model sentence after the speaker. Then form new sentences by making the verb agree with the cued subjects.*

1. Esempio: Cominciai a lavorare in bottega. (l'orefice)
   *Cominicò a lavorare in bottega.*

    .....................         .....................
    .....................         .....................
    .....................         .....................

2. Esempio: Scrisse la seconda parte. (tu)
   *Scrivesti la seconda parte.*

    .....................         .....................
    .....................         .....................
    .....................         .....................

3. Esempio: Aprì una bottega a Firenze. (i miei antenati)
   *Aprirono una bottega a Firenze.*

    .....................         .....................
    .....................         .....................
    .....................         .....................

F. *Change each sentence to the past absolute tense, following the model. Then repeat the correct response after the speaker.*

Esempio: Ho visitato Firenze.
   *Molti anni fa visitai Firenze.*

1. .....................  4. .....................
2. .....................  5. .....................
3. .....................  6. .....................

G. *Answer each question affirmatively using the past absolute tense. Then repeat the correct response after the speaker.*

Esempio: L'artigianato scomparì in Italia?
   *Sì, l'artiginato scomparì in Italia.*

1. .....................  4. .....................
2. .....................  5. .....................
3. .....................

H. *Repeat the model sentence after the speaker. Then form new sentences by making the verb agree with the cued subjects.*

    1.   Esempio:  Ebbe intenzione di continuare.  (i suoi figli)
                      *Ebbero intenzione di continuare.*

             . . . . . . . . . . . . . . . . . . .        . . . . . . . . . . . . . . . . . . .
             . . . . . . . . . . . . . . . . . . .        . . . . . . . . . . . . . . . . . . .
             . . . . . . . . . . . . . . . . . . .        . . . . . . . . . . . . . . . . . . .

    2.   Esempio:  Molti anni fa fummo sul Ponte Vecchio.  (io)
                      *Molti anni fa fui sul Ponte Vecchio.*

             . . . . . . . . . . . . . . . . . . .        . . . . . . . . . . . . . . . . . . .
             . . . . . . . . . . . . . . . . . . .        . . . . . . . . . . . . . . . . . . .
             . . . . . . . . . . . . . . . . . . .        . . . . . . . . . . . . . . . . . . .

I. *Form new sentences using the indicated cues and following the model. Then repeat the correct response after the speaker.*

    Esempio:  Sono stato orefice.  (i miei genitori)
            *I miei genitori non furono mai orefici.*

    1.  . . . . . . . . . . . . . . . . . . .    4.  . . . . . . . . . . . . . . . . . . .
    2.  . . . . . . . . . . . . . . . . . . .    5.  . . . . . . . . . . . . . . . . . . .
    3.  . . . . . . . . . . . . . . . . . . .    6.  . . . . . . . . . . . . . . . . . . .

PART II

III. Una Conversazione

*Listen to the following conversation between Adriana and a jeweler.
Then you will hear seven questions about the conversation. Write the
correct response to each question in the space provided. Both the
conversation and the questions will be read twice.*

Domande:

1. _____

_____

2. _____

_____

3. _____

_____

4. _____

_____

5. _____

_____

6. _____

_____

7. _____

_____

IV. Esercizio scritto

*Listen to each sentence as it is read. Then write it down during the
pause provided. Each sentence will be repeated twice.*

1. _____

_____

2. _____

_____

3. _____

_____

4. _____

_____

5. _____

_____

PART I

I.   Dialogo:   Una manifestazione politica

*Listen carefully to the complete dialog as you read along.*

*L'avvocato Bertini e l'ingegner Frugoni stanno
camminando per Corso Italia a Milano. Sono ansiosi di
arrivare in tempo a una seduta della direzione della Società
Lombarda di Auto-trasporti. Tutto ad un tratto, arrivando in
Piazza del Duomo, l'ingegner Frugoni si ferma. In piazza ci
sono molte persone, molte con un manifesto in mano.*

| | |
|---|---|
| Bertini: | Che c'è? Che succede? |
| Frugoni: | Non lo so. |
| Bertini: | Guarda, c'è la polizia. |
| Frugoni: | Dev'essere una manifestazione politica per le elezioni comunali. Questa dev'essere del partito socialista. |
| Bertini: | Poi ci sarà quella del partito liberale, del repubblicano, eccetera. Proprio come le manifestazioni che ci furono qualche anno fa. |
| Frugoni: | Già; in Italia siamo ricchi di partiti politici. |
| Bertini: | E di manifestazioni, di scioperi, e di tante altre belle cose che ci ha portato l'industrializzazione. |
| Frugoni: | Eppure, vedi, malgrado l'irrequietezza politica, l'Italia ha una sua stabilità. |
| Bertini: | Sarà! Ma la guerra è finita da quasi quarant'anni e ancora cambiamo governo quasi ogni anno. |
| Frugoni: | Oggi i governi cambiano spesso perchè l'opinione pubblica cambia più spesso. Per me è una prova che un governo democratico può funzionare. |
| Bertini: | Nel frattempo sarà meglio cambiare strada. Andando di qui arriveremo tardi. |
| Frugoni: | A che ora comincia la seduta? |
| Bertini: | Alle cinque. |

| | |
|---|---|
| Frugoni: | Guarda che girando qui a sinistra risparmieremo dieci minuti. |
| Bertini: | Dicono che la seduta di oggi sarà difficile. |
| Frugoni: | Molto. Sono cinque anni che lavoro per la società e non ho mai visto tante difficoltà. |
| Bertini: | Sei proprio un pessimista oggi. |
| Frugoni: | Al contrario, sono un ottimista ma anche un realista. |
| Bertini: | Sai che? Il sole scotta, io mi levo la giacca. |
| Frugoni: | Anch'io. Io sto sudando. |

II.  Grammatica

A.  *Give the present and past gerund of each of the following verbs. Then repeat the correct responses after the speaker*

Esempio:  funzionare
          *funzionando, avendo funzionato*

| | |
|---|---|
| 1. .................... | 5. .................... |
| 2. .................... | 6. .................... |
| 3. .................... | 7. .................... |
| 4. .................... | 8. .................... |

B.  *Form new sentences using a gerund. Then repeat the correct response after the speaker.*

Esempio:  Se andiamo di qui, arriveremo tardi.
          *Andando di qui, arriveremo tardi.*

| | |
|---|---|
| 1. .................... | 4. .................... |
| 2. .................... | 5. .................... |
| 3. .................... | 6. .................... |

C.  *Form new sentences using a gerund. Then repeat the correct response after the speaker.*

Esempio:  Camminava per il Ponte Vecchio.
          *Stava camminando per il Ponte Vecchio.*

| | |
|---|---|
| 1. .................... | 4. .................... |
| 2. .................... | 5. .................... |
| 3. .................... | |

150

D. *Form sentences adding the appropriate form of the past gerund
essendo arrivato before each sentence. Then repeat the correct
response after the speaker.*

Esempio:   Gli telefonarono.
           *Essendo arrivati, gli telefonarono.*

1. .................. 4. ..................
2. .................. 5. ..................
3. .................. 6. ..................

E. *Repeat the model sentence after the speaker. Then form new
sentences by making the verb agree with the cued subjects. Make
all necessary changes.*

1. Esempio:  Dovendo uscire, mi metto le scarpe nuove.  (noi)
             *Dovendo uscire, ci mettiamo le scarpe nuove.*

   ..................        ..................
   ..................        ..................
   ..................        ..................

2. Esempio:  Prima di mangiare, Adriana si è lavata le mani.  (voi)
             *Prima di mangiare, vi siete lavati le mani.*

   ..................        ..................
   ..................        ..................
   ..................

F. *Change each verb to the past absolute tense. Then repeat the
correct response after the speaker.*

Esempio:   vede
           *vide*

1. .................. 5. ..................
2. .................. 6. ..................
3. .................. 7. ..................
4. .................. 8. ..................

G. *Contradict each statement following the model. Then repeat the
correct response after the speaker.*

Esempio:   Feci l'orefice nel 1950.
           *No, non facesti l'orefice nel 1950.*

151

1. ....................   4. ....................
2. ....................   5. ....................
3. ....................   6. ....................

H.  *Answer each question negatively.  Then repeat the correct response*
    *after the speaker.*

    Esempio:  Faceste molti orologi.  E loro?
              *Loro non fecero molti orologi.*

    1. ....................   4. ....................
    2. ....................   5. ....................
    3. ....................   6. ....................

152

PART II

## III. Una conversazione

*Listen to the following conversation between Bob and Vanna. Then you will hear six questions about the conversation. Write the correct response to each question in the space provided. Both the conversation and the questions will be read twice.*

Domande:

1. _____

_____

2. _____

_____

3. _____

_____

4. _____

_____

5. _____

_____

6. _____

_____

## IV. Esercizio scritto

*Listen to each sentence as it is read. Then write it down during the pause provided. Each sentence will be repeated twice.*

1. _____

_____

2. _____

_____

3. _____

_____

4. _____

_____

5. _____

_____

# 27

PART I

I.  Dialogo:  Visita a un podere

*Listen carefully to the dialog as you read along.*

*Un uomo d'affari milanese sta parlando col proprietario d'un piccolo podere in Umbria.*

| | |
|---|---|
| Agricoltore: | È un piccolo podere; ormai sono solo. |
| Ospite: | Cosa coltiva? |
| Agricoltore: | Ho un piccolo orto, degli alberi da frutta, e il resto è tutta uva. Cosa vuole, non posso fare molto da solo. |
| Ospite: | Non ha figlioli? |
| Agricoltore: | Sì, quattro maschi; ma si sono trasferiti tutti in città. |
| Ospite: | A cercare lavoro nelle fabbriche? |
| Agricoltore: | Eh, sì! Uno è a Torino, due a Milano e uno a Bologna. |
| Ospite: | Guadagnano bene? |
| Agricoltore: | Be', insomma, diciamo che guadagnano abbastanza bene per tirare avanti. |
| Ospite: | Allora perchè i giovani lasciano le campagne? |
| Agricoltore: | Perchè se in città guadagnano poco, cosa crede che guadagnino qui? Niente. |
| Ospite: | E così la campagna diventa un deserto. |
| Agricoltore: | Purtroppo. Qui a Frattaroli una volta c'erano più di trecento persone. Quante crede che ce ne siano oggi? |
| Ospite: | Non so; duecento? |
| Agricoltore: | Magari! Soltanto cinquantaquattro e siamo tutti vecchi. |
| Ospite: | A proposito, non credo di averle spiegato la ragione della mia visita. |
| Agricoltore: | No; mi dica. |
| Ospite: | Cerco una vecchia fattoria per un noto chirurgo di Milano. |
| Agricoltore: | Per un chirurgo di Milano? Che ne vuole fare? |
| Ospite: | Vorrebbe convertirla in una villa. La sua fattoria mi sembra ideale. |

| | |
|---|---|
| Agricoltore: | Il mio podere? La mia casa? |
| Ospite: | Se le interessa posso farle un'ottima offerta. |
| Agricoltore: | Ma neanche per sogno! Vuole che abbandoni la mia casa? Alla mia età? Dove andremmo io e mia moglie? Cosa faremmo? |
| Ospite: | Ci pensi. Ripasserò fra un paio di settimane. |
| Agricoltore: | No, è inutile che ripassi. In questa casa sono nato e in questa casa intendo morire. |

## II. Grammatica

A. *Repeat the model sentence after the speaker. Then form new sentences by substituting the cued subjects and making all necessary changes.*

1. Esempio: Vuole che io abbandoni la casa? (l'agricoltore)
   *Vuole che l'agricoltore abbandoni la casa?*

   . . . . . . . . . . . . . . . . . . . .    . . . . . . . . . . . . . . . . . . . .
   . . . . . . . . . . . . . . . . . . . .    . . . . . . . . . . . . . . . . . . . .
   . . . . . . . . . . . . . . . . . . . .    . . . . . . . . . . . . . . . . . . . .

2. Esempio: Crede che io intenda ripassare. (l'ospite)
   *Crede che l'ospite intenda ripassare.*

   . . . . . . . . . . . . . . . . . . . .    . . . . . . . . . . . . . . . . . . . .
   . . . . . . . . . . . . . . . . . . . .    . . . . . . . . . . . . . . . . . . . .
   . . . . . . . . . . . . . . . . . . . .    . . . . . . . . . . . . . . . . . . . .

3. Esempio: È importante che io finisca il lavoro. (noi)
   *È importante che noi finiamo il lavoro.*

   . . . . . . . . . . . . . . . . . . . .    . . . . . . . . . . . . . . . . . . . .
   . . . . . . . . . . . . . . . . . . . .    . . . . . . . . . . . . . . . . . . . .
   . . . . . . . . . . . . . . . . . . . .    . . . . . . . . . . . . . . . . . . . .

4. Esempio: Non sa se lui abbia un orto. (mia sorella)
   *Non sa se mia sorella abbia un orto.*

156

. . . . . . . . . . . . . . . . . .          . . . . . . . . . . . . . . . . . .
. . . . . . . . . . . . . . . . . .          . . . . . . . . . . . . . . . . . .
. . . . . . . . . . . . . . . . . .          . . . . . . . . . . . . . . . . . .

5.   Esempio:   È possibile che io sia a Bologna.   (il mercante)
                *È possibile che il mercante sia a Bologna.*

. . . . . . . . . . . . . . . . . .          . . . . . . . . . . . . . . . . . .
. . . . . . . . . . . . . . . . . .          . . . . . . . . . . . . . . . . . .
. . . . . . . . . . . . . . . . . .          . . . . . . . . . . . . . . . . . .

B.   *Form a question from each statement following the model.   Then*
     *repeat the correct response after the speaker.*

     Esempio:   È certo che sono arrivati ieri.
                *È possibile che siano arrivati ieri?*

     1.  . . . . . . . . . . . . . . . . . .      4.  . . . . . . . . . . . . . . . . . .
     2.  . . . . . . . . . . . . . . . . . .      5.  . . . . . . . . . . . . . . . . . .
     3.  . . . . . . . . . . . . . . . . . .      6.  . . . . . . . . . . . . . . . . . .

C.   *Form sentences changing the verb in the subordinate clauses from*
     *the present to the past perfect subjunctive.   Then repeat the*
     *correct response after the speaker.*

     Esempio:   Pensa che io ripassi.
                *Pensa che io sia ripassato.*

     1.  . . . . . . . . . . . . . . . . . .      4.  . . . . . . . . . . . . . . . . . .
     2.  . . . . . . . . . . . . . . . . . .      5.  . . . . . . . . . . . . . . . . . .
     3.  . . . . . . . . . . . . . . . . . .      6.  . . . . . . . . . . . . . . . . . .

D.   *Repeat the model sentence after the speaker.   Then form new*
     *sentences by substituting the cued verbs or expressions.   Make*
     *all necessary changes.*

     1.   Esempio:   È meglio che io spieghi la novità.   (è certo)
                     *È certo che io spiego la novità.*

     . . . . . . . . . . . . . . . . . .          . . . . . . . . . . . . . . . . . .
     . . . . . . . . . . . . . . . . . .          . . . . . . . . . . . . . . . . . .
     . . . . . . . . . . . . . . . . . .

     2.   Esempio:   Vuole che io la converta in una villa.   (so)
                     *So che io la converto in una villa.*

157

E. *Form new sentences using the indicated cues and following the models. Then repeat the correct response after the speaker.*

Esempi:    È importante ripassare presto.  (Gianni)
           *È importante che Gianni ripassi presto.*

           Voglio parlargli.  (l'agricoltore)
           *Voglio che l'agricoltore gli parli.*

1. (i giovani)          4. (tu)
2. (voi)                5. (i clienti)
3. (il figlio)          6. (tu)

F. *Form new sentences by substituting an infinitive for the subjunctive. Then repeat the correct response after the speaker.*

Esempio:   È necessario che tu ti avvicini alla villa.
           *È necessario avvicinarti alla villa.*

1. . . . . . . . . . . . . . . . . . . .          4. . . . . . . . . . . . . . . . . . . .
2. . . . . . . . . . . . . . . . . . . .          5. . . . . . . . . . . . . . . . . . . .
3. . . . . . . . . . . . . . . . . . . .          6. . . . . . . . . . . . . . . . . . . .

G. *Answer each question affirmatively. Then repeat the correct response after the speaker.*

Esempio:   Vuoi che io spieghi l'offerta?
           *Sì, voglio che tu spieghi l'offerta.*

1. . . . . . . . . . . . . . . . . . . .          4. . . . . . . . . . . . . . . . . . . .
2. . . . . . . . . . . . . . . . . . . .          5. . . . . . . . . . . . . . . . . . . .
3. . . . . . . . . . . . . . . . . . . .          6. . . . . . . . . . . . . . . . . . . .

H. *Answer each question affirmatively using the indicated cue and following the model. Then repeat the correct response after the speaker.*

Esempio:   Devo guardare il manifesto?  (è importante)
           *Sì, è importante che tu guardi il manifesto.*

1. . . . . . . . . . . . . . . . . . . .          4. . . . . . . . . . . . . . . . . . . .
2. . . . . . . . . . . . . . . . . . . .          5. . . . . . . . . . . . . . . . . . . .
3. . . . . . . . . . . . . . . . . . . .          6. . . . . . . . . . . . . . . . . . . .

PART II

## III. Una conversazione

*Listen to the following conversation as Bob and Adriana talk about the Italian countryside. Then you will hear seven questions about the conversation. Write the correct response to each question in the space provided. Both the conversation and the questions will be read twice.*

Domande:

1. _____

_____

2. _____

_____

3. _____

_____

4. _____

_____

5. _____

_____

6. _____

_____

7. _____

_____

## IV. Esercizio scritto

*Listen to each sentence as it is read. Then write it down during the pause provided. Each sentence will be repeated twice.*

1. _____

_____

2. _____
   _____
3. _____
   _____
4. _____
   _____
5. _____
   _____

PART I

I.   Dialogo:   Una conferenza mancata

*Listen carefully to the dialog as you read along.*

*Gianni e Franco sono alla porta dell'aula magna*
*dell'università dove deve parlare un famoso conferenziere.*

| | |
|---|---|
| Gianni: | Io ho sonno. Ho dormito male ieri sera. |
| Franco: | Niente scuse. Dormirai meglio stasera. Ci sono due posti lì a destra. |
| Gianni: | Non ti sembra che siano troppo vicini alla cattedra? |
| Franco: | Credo che siano gli unici due liberi. |
| Gianni: | Mettiamoci qui vicino alla porta. |
| Franco: | Ma non ci sono posti. |
| Gianni: | Staremo in piedi. |
| Franco: | In piedi? Credo che tu stia ancora cercando una scusa per andar via. |
| Gianni: | Qual è il titolo della conferenza? |
| Franco: | L'industria italiana alla fine del Novecento. |
| Gianni: | Che noia! Ma perchè siamo venuti? |
| Franco: | Perchè ce l'ha consigliato il professor De Rosa. |
| Gianni: | Chi è il conferenziere? |
| Franco: | Un famoso industriale: Giovanni Ansaldi. |
| Gianni: | Lo conosco. Non deve essere un gran che. |
| Franco: | È uno dei più ricchi industriali d'Europa. |
| Gianni: | Siamo ancora in tempo; andiamocene! |
| Franco: | No, è una conferenza importante. |
| Gianni: | Ti porto al Caffè Blue Jazz. Ti offro il caffè. |
| Franco: | No. |
| Gianni: | Ti offro anche le paste. |
| Franco: | No. |

| Gianni: | Un panino imbottito. . .una coca cola. . .una granita di caffè con panna. |
|---|---|
| Franco: | No. |
| Gianni: | Ma cosa te ne importa dell'industria italiana della fine dell'Ottocento? |
| Franco: | Del Novecento, non dell'Ottocento. Non capisci che l'avvenire dell'Italia dipende dal continuo sviluppo dell'industria? |
| Gianni: | Adesso ho fame e ho sete. Dopo il caffè ti prometto di preoccuparmi dell'industria. |
| Franco: | L'Italia deve aumentare la produzione del. . . |
| Gianni: | Pago tutto io. |
| Franco: | Va bene; mi hai convinto. |
| Gianni: | Svelto; andiamo. Sta arrivando il conferenziere. |
| Franco: | Dov'è? |
| Gianni: | È quel giovanottone biondo in corridoio. Usciamo prima che ci veda. |

## II. Grammatica

A. *Form sentences using the relative superlative and following the model. Then repeat the correct response after the speaker.*

Esempio: È un industriale importante che conosco.
*È l'industriale più importante che conosca.*

1. ....................   4. ....................
2. ....................   5. ....................
3. ....................

B. *Form new sentences using the conjunction* sebbene. *Then repeat the correct response after the speaker.*

Esempio: Le comprerò, ma costano troppo.
*Le comprerò sebbene costino troppo.*

1. ....................   4. ....................
2. ....................   5. ....................
3. ....................   6. ....................

C. *Change each sentence using the conjunction* perchè *and the indicated cues. Then repeat the correct response after the speaker.*

Esempio: Vanno per vedere il film. (gli amici)
*Vanno perchè gli amici vedano il film.*

1. (gli studenti)   4. (il marito)
2. (il direttore)   5. (i figli)
3. (i giovanotti)   6. (il cliente)

D. *Form a new sentence from each pair of sentences using the indicated cues. Then repeat the correct response after the speaker.*

Esempio: Usciamo! Il conferenziere arriva. (prima che)
*Usciamo prima che il conferenziere arrivi.*

1. Andiamocene! L'industriale ci vede.

2. Ti offro un caffè. Esci con me.

3. Verremo. La conferenza è importante.

4. Partirà. I figlioli spiegano la ragione.

5. Ne parlerò. La fattoria mi sembra ideale.

6. Non abbandono la loro casa. La campagna diventa un deserto.

E. *Restate the century in each sentence following the model. Then repeat the correct response after the speaker.*

Esempio: È nato nel Duecento.
*È nato nel secolo tredicesimo.*

1. ...................     4. ...................
2. ...................     5. ...................
3. ...................

F. *Repeat the model sentence after the speaker. Then form new sentences by substituting the cued verbs.*

1. Esempio: È possibile che non capiscano niente? (conoscere)
   *È possibile che non conoscano niente?*

   ...................     ...................
   ...................     ...................
   ...................

2. Esempio: Ho paura che tu non rifletta abbastanza. (leggere)
   *Ho paura che tu non legga abbastanza.*

   ...................     ...................
   ...................     ...................
   ...................

G. *Form new sentences changing the verb of the subordinate clause from the singular to the plural or vice versa. Then repeat the correct response after the speaker.*

Esempio:   Dubito che lui dica la verità.
           *Dubito che loro dicano la verità.*

1. .....................        4. .....................
2. .....................        5. .....................
3. .....................        6. .....................

H. *Answer each question affirmatively. Then repeat the correct response after the speaker.*

Esempio:   È possibile che tu stia in piedi?
           *Sì, è possibile che io stia in piedi.*

1. .....................        4. .....................
2. .....................        5. .....................
3. .....................        6. .....................

PART II

III. Una conversazione

*Listen to the following conversation between Gianni and Vanna, who are deciding whether or not to attend a lecture. Then you will hear seven questions about the conversation. Write the correct response to each question in the space provided. Both the conversation and the questions will be read twice.*

Domande:

1. _____

_____

2. _____

_____

3. _____

_____

4. _____

_____

5. _____

_____

6. _____

_____

7. _____

_____

IV. Esercizio scritto

*Listen to each sentence as it is read. Then write it down during the pause provided. Each sentence will be read twice.*

1. _____

   _____

2. _____

   _____

3. _____

   _____

4. _____

   _____

5. _____

   _____

PART I

I.  Dialogo:  <u>Il Milione</u>

*Listen carefully to the dialog as you read along.*

                *Un signore sta sfogliando un libro illustrato in una libreria.*
                *Il libraio si avvicina e gli dice:*

| | |
|---|---|
| Libraio: | Credo che il signore voglia un libro per un regalo. |
| Signor Maratti: | Un libro che possa interessare un giovane di vent'anni, un amico di famiglia. |
| Libraio: | Abbiamo centinaia, anzi migliaia di libri in questo negozio. Ce ne sarà certamente uno che interesserà il suo amico. |
| Signor Maratti: | Tutto sta a trovarlo. |
| Libraio: | Be', vediamo un po'. Può darmi qualche indicazione più precisa? Un libro di fantascienza? *Il viaggio verso Saturno,* o *Frankenstein impazzito?* |
| Signor Maratti: | No, no! |
| Libraio: | Un romanzo? Un best seller americano? Un giallo inglese? |
| Signor Maratti: | Non credo. Gianni legge molto ed è al corrente delle novità. |
| Libraio: | Forse un libro d'avventure? |
| Signor Maratti: | Dio ce ne guardi! Gianni avrà centinaia di libri d'avventure, specialmente di quelli a fumetti. |
| Libraio: | Forse la biografia di un famoso personaggio? Un libro di viaggi? |
| Signor Maratti: | Ecco, un libro di viaggi potrebbe andare. |
| Libraio: | Meno male. Ecco dei libri eccellenti: *La Russia da vicino,* o *Attraverso gli Stati Uniti.* |
| Signor Maratti: | No. Qualcosa di più esotico. |
| Libraio: | Un classico? I viaggi di Cristoforo Colombo, di Amerigo Vespucci, di Verrazzano? |

| | |
|---|---|
| Signor Maratti: | E questo cos'è? Ah, guarda, *Il Milione* di Marco Polo. |
| Libraio: | Ma l'avrà letto. |
| Signor Maratti: | Non credo che l'abbia letto. Forse qualche brano in un'antologia. |
| Libraio: | Allora gli dia questa magnifica edizione. Le illustrazioni sono straordinarie. |
| Signor Maratti: | È un libro che si legge più d'una volta con interesse. Bene, lo prendo. |
| Libraio: | Vuole che le faccia un bel pacchetto? |
| Signor Maratti: | Sì, grazie. |

II.  Grammatica

A.  *Respond to each statement using the subjunctive.  Then repeat the correct response after the speaker.*

Esempio:  Vuole andar via.
          *Che vada via, se vuole!*

| 1. .................... | 4. .................... |
|---|---|
| 2. .................... | 5. .................... |
| 3. .................... | 6. .................... |

B.  *Change the irregular noun in each sentence from the singular to the plural or vice versa.  Then repeat the correct response after the speaker.*

Esempio:  Bisogna che il dottore veda il braccio.
          *Bisogna che il dottore veda le braccia.*

168

1. ......................     4. ......................
2. ......................     5. ......................
3. ......................     6. ......................

C. *Repeat the model sentence after the speaker. Then form new sentences by substituting the cued subjects. Make all necessary changes.*

   1.   Esempio:   È probabile che non sappiano che cos'è *Il Milione.* (noi)
                   *È probabile che noi non sappiamo che cos'è* Il Milione.

         ....................       ....................
         ....................       ....................
         ....................

   2.   Esempio:   Preferisco che Gianni venga da me all'una. (loro)
                   *Preferisco che loro vengano da me all'una.*

         ....................       ....................
         ....................       ....................

   3.   Esempio:   Non è possibile che lui dia la conferenza. (io)
                   *Non è possibile che io dia la conferenza.*

         ....................       ....................
         ....................       ....................

   4.   Esempio:   Che lei voglia o non voglia, io farò l'orefice. (tu)
                   *Che tu voglia o non voglia, io farò l'orefice.*

         ....................       ....................
         ....................       ....................

D. *Form new sentences adding the phrase* è possibile che *before each statement. Then repeat the correct response after the speaker.*

   Esempio:   Viene dalla libreria.
             *È possibile che venga dalla libreria.*

1. ......................     4. ......................
2. ......................     5. ......................
3. ......................     6. ......................

E. *Form new sentences following the model.* *Then repeat the correct*
   *response after the speaker.*

   Esempio:   Non so se loro lo devano fare.
              *Loro non sanno se io lo deva fare.*

   1. ....................        4. ....................
   2. ....................        5. ....................
   3. ....................        6. ....................

F. *Answer each question affirmatively.* *Then repeat the correct*
   *response after the speaker.*

   Esempio:   È necessario che noi lo sappiamo?
              *Sì, è necessario che voi lo sappiate.*

   1. ....................        4. ....................
   2. ....................        5. ....................
   3. ....................        6. ....................

PART II

III. Una conversazione

*Listen to the following conversation between Mrs. Maratti, who needs to buy a present, and her son, Carlo. Then you will hear six questions about the conversation. Write the correct response to each question in the space provided. Both the conversation and the questions will be read twice.*

Domande:

1. _____

_____

2. _____

_____

3. _____

_____

4. _____

_____

5. _____

_____

6. _____

_____

IV. Esercizio scritto

*Listen to each of the following sentences as it is read. Then write it down during the pause provided. Each sentence will be repeated twice.*

1. _____

_____

2. _____

_____

3. _____

_____

4. _____

_____

5. _____

_____

PART I

I.   Dialogo:  Bel tempo -- 24 gradi -- niente smog

*Listen carefully to the dialog as you read along.*

*Francesco e Maria Pellegrini, che abitano a Los Angeles da
più di vent'anni, sono andati all'aeroporto a prendere una
loro nipote che viene dall'Italia. A un tratto la vedono fra i
passeggeri che escono dalla dogana.*

| | |
|---|---|
| Zia Maria: | Renata, Renata, siamo qui, siamo qui! |
| Renata: | Zia Maria, Zio Francesco. . . |
| Zio Francesco: | Benvenuta in America. |
| Zia Maria: | Lasciati guardare; come sei cresciuta! |
| Renata: | Sono quattro anni che non ci vediamo. |
| Zio Francesco: | Com'è andato il viaggio? |
| Renata: | È stato lungo e noioso. Proprio non credevo che la California fosse così lontana. |
| Zio Francesco: | Hai visto il Polo Nord? |
| Renata: | Macchè! Era quasi buio quando ci siamo passati vicino; non si vedeva altro che neve e ghiaccio. |
| Zia Maria: | Qui a Los Angeles invece fa bel tempo: 75 gradi, o come dite voi 24 gradi centigradi. E non c'è smog. Per una giornata di dicembre non c'è male. |
| Renata: | Allora, come state? Mi sembrate in ottima salute. |
| Zio Francesco: | Sì, stiamo bene. Quanto bagaglio hai? |
| Renata: | Tre valige e una borsa. A proposito, tanti saluti da tutti. |
| Zia Maria: | Grazie. Allora andiamo. (*Si avviano verso l'uscita dell'aeroporto.*) |
| Zio Francesco: | Cosa ne pensi dell'America? |
| Renata: | Sono appena arrivata; cosa vuoi che ne pensi? Gli aeroporti sono tutti simili. |

173

| | |
|---|---|
| Zio Francesco: | Vedrai che il resto è tutto diverso. |
| Renata: | Finalmente conoscerò l'America da vicino. |
| Zia Maria: | Ma due mesi non bạstano. |
| Renata: | Se potessi resterei anche un anno intero. |
| Zio Francesco: | Per noi, due mesi o un anno è lo stesso. Sta a te, noi siamo felicịssimi di averti con noi. |
| Renata: | Bisogna che torni all'agenzia a Roma entro due mesi. Se avessi chiesto un anno di permesso forse me lo avrẹbbero dato, ma ora è troppo tardi. |
| Zia Maria: | Credevo che tu potessi restare quanto volevi. |
| Renata: | No. Mi hanno dato due mesi perchè vọgliono che impari mẹglio l'inglese. |
| Zia Maria: | Capisco. Ma tu l'hai studiato l'inglese, no? |
| Renata: | Quattr'anni. Se non l'avessi studiato starei fresca! |
| Zio Francesco: | Ecco la nostra mạcchina. |

II. Grammatica

A. *Repeat the model sentence after the speaker. Then form new sentences by making the verb agree with the cued subjects.*

1. Esempio: Non sapevo che parlasse l'italiano tanto bene.
(loro)
*Non sapevo che parlassero l'italiano tanto bene.*

....................     ....................
....................     ....................

2. Esempio: Credevamo che ci riconoscessero. (tu e Carlo)
*Credevamo che ci riconosceste.*

....................     ....................
....................     ....................

3. Esempio: Pensava che Renata ripartisse subito. (io e Francesco)
*Pensava che ripartissimo subito.*

....................     ....................
....................     ....................
....................

174

B. *Form new sentences changing the verb in the subordinate clause from the singular to the plural or vice versa. Then repeat the correct response after the speaker.*

   Esempio:  Credevo che sfogliasse un'antologia.
             *Credevo che sfogliassero un'antologia.*

   1. ....................     4. ....................
   2. ....................     5. ....................
   3. ....................     6. ....................

C. *Answer each question using the indicated cue and following the model. Then repeat the correct response after the speaker.*

   Esempio:  Volevi che io parlassi a Carlo?  (Loro)
             *No, volevo che Loro parlassero a Carlo.*

   1. (tuo padre)       4. (tu)
   2. (le sue sorelle)   5. (voi)
   3. (io)            6. (noi)

D. *Repeat the model sentence after the speaker. Then form new sentences by substituting the cued subjects. Make all necessary changes.*

   1. Esempio:  Tutti speravano che la zia fosse in buona salute.
                (voi)
                *Tutti speravano che voi foste in buona salute.*

      ....................     ....................
      ....................     ....................

   2. Esempio:  Dubitava che la nipote avesse un anno di permesso.
                (le impiegate)
                *Dubitava che le impiegate avessero un anno di permesso.*

      ....................     ....................
      ....................     ....................
      ....................     ....................

E. *Answer each question affirmatively. Then repeat the correct response after the speaker.*

   Esempio:  Sperava che io fossi a casa?
             *Sì, sperava che tu fossi a casa.*

1. .....................   4. .....................
2. .....................   5. .....................
3. .....................   6. .....................

F.  *Repeat the model sentence after the speaker.  Then form new
    sentences by substituting the cued subjects.  Make all necessary
    changes.*

    1.   Esempio:  Bisognava che lei avesse chiesto il permesso.  (gli
                         artigiani)
                         *Bisognava che gli artigiani avessero chiesto il
                         permesso.*

    .....................   .....................
    .....................   .....................
    .....................

    2.   Esempio:  Avevano paura che Renata fosse già arrivata.  (le
                         compagne)
                         *Avevano paura che le compagne fossero già arrivate.*

    .....................   .....................
    .....................   .....................
    .....................

G.  *Form new sentences changing the verb of the subordinate clause from
    the imperfect to the past perfect subjunctive.  Then repeat the
    correct response after the speaker.*

    Esempio:  Credeva che io parlassi a Carlo.
                  *Credeva che io avessi parlato a Carlo.*

1. .....................   4. .....................
2. .....................   5. .....................
3. .....................

H.  *Answer each question using the imperfect tense.  Then repeat the
    correct response after the speaker.*

    Esempio:  Crede che Maria sia qui?
                  *No, ma ieri credeva che Maria fosse qui.*

1. .....................   4. .....................
2. .....................   5. .....................
3. .....................   6. .....................

I.  *Answer each question using the past perfect subjunctive and
    following the model.  Then repeat the correct response after the
    speaker.*

176

Esempio:  Lidia era venuta?
          *Era possibile che Lidia fosse venuta.*

1. .....................    4. .....................
2. .....................    5. .....................
3. .....................    6. .....................

J.  *Form contrary-to-fact statements following the model.   Then repeat
    the correct response after the speaker.*

Esempio:  Se ha due mesi, resterà qui.
          *Se avesse due mesi, resterebbe qui.*

1.  Se studiate l'inglese, capirete.

2.  Se **non** studio, starò fresca.

3.  Se resteranno, conosceranno l'America.

4.  Se hai bagaglio, bisogna cercarlo.

5.  Se sono appena arrivata, non posso dire niente.

6.  Se verrà, saremo felicissimi.

K.  *Form sentences using the appropriate past tenses and following the models. Then repeat the correct response after the speaker.*

   Esempio:  Se fossi qui, visiterei la chiesa.
             *Se fossi stato qui, avrei visitato la chiesa.*

   1.  Se ci mettesimo qui, staremmo in piedi.

   2.  Se ti portassi al caffè, ti offrirei una coca cola.

   3.  Se fosse qui, Le consiglierei questo libro.

   4.  Se tu leggessi molto, vorresti una biografia.

   5.  Se arrivaste all'aeroporto, mi vedreste.

   6.  Se avessero due mesi, potrebbero conoscere la California.

III. Una conversazione

   *Listen to the following conversation between Carlo and Renata, who has just arrived for a visit in the United States. Then you will hear six questions about the conversation. Write the correct response to each question in the space provided. Both the conversation and the questions will be read twice.*

   Domande:

   1.  _____

   _____

   2.  _____

   _____

   3.  _____

   _____

   4.  _____

   _____

5. _____

_____

6. _____

_____

## IV. Esercizio scritto

*Listen to each sentence as it is read. Then write it down during the pause provided. Each sentence will be repeated twice.*

1. _____

_____

2. _____

_____

3. _____

_____

4. _____

_____

5. _____

_____

PART I

I.   Dialogo:   Il vecchio emigrante

*Listen carefully to the dialog as it is read.*

*Adriana e Gianni stanno attraversando in fretta una piazza.*

Adriana:   Sbrigati.
Gianni:    Perchè tanta fretta?
Adriana:   Voglio vedere Salvatore Scaccia.
Gianni:    Chi è?
Adriana:   Come chi è? Di' un po', non leggi i giornali?
Gianni:    Raramente. Non portano altro che brutte notizie.
Adriana:   Se tu li leggessi, sapresti che Salvatore Scaccia è un vecchio
           emigrante appena tornato dall'America.
Gianni:    E che vuol dire? Tanti emigranti tornano dall'America.
Adriana:   Ma Salvatore Scaccia è speciale, è una leggenda.
Gianni:    Perchè?
Adriana:   Perchè ha 93 anni, manca dall'Italia da 76 anni, è milionario e
           ha scritto un libro.
Gianni:    Ma no!
Adriana:   Ma sì! E non solo; dicono che abbia dato un milione di dollari
           per la costruzione di un ospedale al suo paese.
Gianni:    E cosa faceva in America?
Adriana:   Non sono sicura. Sembra che da giovane facesse il muratore;
           poi diventò appaltatore e fece un sacco di quattrini.
Gianni:    Beato lui! Magari me lo desse anche a me un milioncino!
Adriana:   Bisogna leggere il suo libro: *Vita di un emigrante*. Sembra
           che l'abbia scritto in inglese e che poi l'abbia fatto tradurre in
           italiano.
Gianni:    Perchè? Non lo sa l'italiano?
Adriana:   Sì, ma in 76 anni ha dimenticato molte cose.
Gianni:    E che viene a fare qui oggi?
Adriana:   C'è una conferenza-stampa per la pubblicazione del libro.

| Gianni: | Di che paese hai detto che è? |
|---|---|
| Adriana: | Non l'ho detto perchè non lo so; ma so che è calabrese. |
| Gianni: | E il libro com'è? |
| Adriana: | Dicono che sia affascinante. |
| Gianni: | Spiega come si faccia a diventare milionario? |
| Adriana: | Ma su, smettila di fare lo spiritoso. È un libro serio che racconta la storia dei vecchi emigranti e . . . eccolo, eccolo; dev'esser lui. Vedi quanti giornalisti? |
| Gianni: | Andiamo; voglio chiedergli una cosa. |
| Adriana: | Cosa? |
| Gianni: | Com'è diventato milionario. |
| Adriana: | Diventare milionario non è facile, ma chiediglielo pure. |

II. Grammatica

A. *Repeat the model sentence after the speaker. Then form new sentences by substituting the cued subjects. Make all necessary changes.*

1. Esempio: Voleva che mio fratello facesse il lavoro. (le mie sorelle)
   *Voleva che le mie sorelle facessero il lavoro.*

   . . . . . . . . . . . . . . . . . . .     . . . . . . . . . . . . . . . . . . .
   . . . . . . . . . . . . . . . . . . .     . . . . . . . . . . . . . . . . . . .
   . . . . . . . . . . . . . . . . . . .

2. Esempio: Sperava che io gli dessi dei soldi. (l'impiegata)
   *Sperava che l'impiegata gli desse dei soldi.*

   . . . . . . . . . . . . . . . . . . .     . . . . . . . . . . . . . . . . . . .
   . . . . . . . . . . . . . . . . . . .     . . . . . . . . . . . . . . . . . . .
   . . . . . . . . . . . . . . . . . . .

3. Esempio: Preferivano che tu non dicessi niente. (io)
   *Preferivano che io non dicessi niente.*

   . . . . . . . . . . . . . . . . . . .     . . . . . . . . . . . . . . . . . . .
   . . . . . . . . . . . . . . . . . . .     . . . . . . . . . . . . . . . . . . .
   . . . . . . . . . . . . . . . . . . .

182

B. *Contradict each statement following the model.  Then repeat the correct response after the speaker.*

Esempio:  Era certo che dava la risposta.
*Io dubitavo che desse la risposta.*

1. .....................    4. .....................
2. .....................    5. .....................
3. .....................    6. .....................

C. *Form new sentences using the indicated cues and following the model. Then repeat the correct response after the speaker.*

Esempio:  Avevo paura di dirlo.  (loro)
*Avevo paura che loro lo dicessero.*

1. (suo figlio)    4. (voi)
2. (io)    5. (loro)
3. (tu)    6. (noi)

D. *Answer each statement using the words* Vorrò che . . . *Then repeat the correct response after the speaker.*

Esempio:  Non leggo il suo libro.
*Vorrò che tu legga il suo libro.*

1. .....................    4. .....................
2. .....................    5. .....................
3. .....................    6. .....................

E. *Form new sentences changing the sequence of tenses.  Use the conditional for the main verb.  Make all necessary changes.  Then repeat the correct response after the speaker.*

Esempi:  Non crede che lui abbia mangiato.
*Non crederebbe che lui avesse mangiato.*

Non so che tu sia all'aeroporto.
*Non saprei che tu fossi all'aeroporto.*

1. Non sa che tu abbia studiato l'inglese.

2. Non vuole che io torni all'agenzia.

3. Non crediamo che loro possano restare.

4. Non dubiti che le valige siano state qui.

5. Non pensano che l'abbiamo studiato.

6. Non volete che resti un anno intero.

F. *Form new sentences adding the words* <u>Non credevo che</u> . . . *before each sentence. Adjust the dependent verb accordingly. Then repeat the correct response after the speaker.*

Esempio: Vanno al cinema.
*Non credevo che andassero al cinema.*

1. ..................... 4. .....................
2. ..................... 5. .....................
3. ..................... 6. .....................

G. *Answer each question following the models. Then repeat the correct response after the speaker.*

Esempi: Vuoi mangiare?
*No, non c'è niente da mangiare.*

Vuoi dirle qualcosa?
*No, non c'è niente da dirle.*

1. ..................... 4. .....................
2. ..................... 5. .....................
3. .....................

H. *Repeat the model sentence after the speaker. Then form new sentences by substituting the cued verbs. Make all necessary changes.*

1. Esempio: Sa fare un sacco di quattrini. (comincia)
*Comincia a fare un sacco di quattrini.*

..................... .....................
..................... .....................
..................... .....................

2. Esempio: Ho promesso di leggere i giornali. (ho voluto)
*Ho voluto leggere i giornali.*

..................... .....................
..................... .....................
..................... .....................

I.  *Answer each question using the indicated cue.  Then repeat the*
    *correct response after the speaker.*

Esempio:  Capisci?  (cominciare)
          *Comincio a capire.*

1.  ...................    4.  ...................
2.  ...................    5.  ...................
3.  ...................    6.  ...................

PART II

III. Una conversazione

*Listen to the following conversation between Carlo and Vanna about a
rich emigrant. Then you will hear six questions about the conversation.
Write the correct response to each question in the space provided. Both
the conversation and the questions will be repeated twice.*

Domande:

1. _____

_____

2. _____

_____

3. _____

_____

4. _____

_____

5. _____

_____

6. _____

_____

IV. Esercizio scritto

*Listen to each sentence as it is read. Then write it down during the
pause provided. Each sentence will be read twice.*

1. _____

_____

2. _____

_____

3. _____

_____

4. _____

_____

5. _____

_____

PART I

I: Dialogo: Italiani all'estero

*Listen carefully to the dialog as you read along.*

*Due signori sulla trentina, Umberto Baldoni e Marino Visconti, s'incontrano per caso nella galleria di Piazza Colonna a Roma.*

Baldoni: Visconti! Marino Visconti, sei proprio tu?
Visconti: Ma sì, caro Baldoni, che bella sorpresa!
Baldoni: Quanti anni sono che non ci vediamo?
Visconti: Almeno sei; da quando ci siamo laureati.
Baldoni: Avevo sentito dire ch'eri all'estero, ma non sapevo dove.
Visconti: Nel cuore del Brasile, con una spedizione di ricerche mediche. Sono in Italia dopo un'assenza di tre anni per una breve vacanza.
Baldoni: Già, tu eri fissato con le malattie tropicali. Ti ricordi i lunghi discorsi che ci facevi ascoltare?
Visconti: Certo. E tu che fai?
Baldoni: Anch'io lavoro fuori d'Italia; a New York con la missione italiana alle Nazioni Unite.
Visconti: Dev'essere un lavoro interessante. E poi New York è sempre New York!
Baldoni: D'accordo. New York è affascinante, ma il lavoro a volte è monotono.
Visconti: Come va che sei in Italia?
Baldoni: Ogni sei mesi mi fanno rientrare al Ministero degli Esteri per alcuni giorni.
Visconti: Mi sembra un impiego ideale. Ti sei sposato?
Baldoni: Sì, un anno fa. E tu?
Visconti: Io sono ancora scapolo.

| | |
|---|---|
| Baldoni: | Vedi mai qualcuno dei vecchi compagni di università? |
| Visconti: | Raramente. Pochi si spingono nelle giungle del Brasile. |
| Baldoni: | Io ogni tanto ne vedo qualcuno; oggi molti italiani vanno a New York per una ragione o per un'altra. |
| Visconti: | Siamo tutti un po' sparsi per il mondo, no? |
| Baldoni: | Eh sì! In Italia le possibilità di lavoro sono limitate, e così l'emigrazione continua anche fra i professionisti. Tu quando riparti? |
| Visconti: | Domani mattina. |
| Baldoni: | Allora perchè non ci troviamo stasera? Così ti farò conoscere mia moglie Elena. |
| Visconti: | Volentieri; sul tardi, però, ho molte cose da fare e fra l'altro devo farmi rinnovare il passaporto. |
| Baldoni: | Alle nove; va bene? |
| Visconti: | Sì, dove? Io sono all'Albergo Vittoria. |
| Baldoni: | Benissimo; passerò a prenderti con Elena. |
| Visconti: | Ciao; a stasera. |

## II. Grammatica

A. *Repeat the model sentence after the speaker. Then form new sentences by substituting the cued subjects. Make all necessary changes.*

1. Esempio: No, il professore non mi fa sbagliare. (i direttori)
   *No, i direttori non mi fanno sbagliare.*

   .....................        .....................
   .....................        .....................

2. Esempio: Sì noi lo faremo pensare. (il professore)
   *Sì, il professore lo farà pensare.*

   .....................        .....................
   .....................        .....................
   .....................

3. Esempio: Questo dramma ci ha fatto riflettere. (questi libri)
   *Questi libri ci hanno fatto riflettere.*

   .....................        .....................
   .....................        .....................

B. *Answer each question affirmatively following the model. Then repeat the correct response after the speaker.*

   Esempio: Bisogna tradurre questa poesia?
   *Si, faccio tradurre questa poesia.*

   1. .....................      4. .....................
   2. .....................      5. .....................
   3. .....................

C. *Answer each question following the model. Then repeat the correct response after the speaker.*

   Esempio: Mario leggerà?
   *Si, farò leggere Mario.*

   1. .....................      4. .....................
   2. .....................      5. .....................
   3. .....................

D. *Answer each questions following the model. Then repeat the correct response after the speaker.*

   Esempio: Traducete questo libro?
   *No, facciamo tradurre quel libro.*

   1. .....................      4. .....................
   2. .....................      5. .....................
   3. .....................

E. *Answer each question affirmatively following the model. Then repeat the correct response after the speaker.*

   Esempio: Maria doveva leggere la lezione?
   *Si, facevo leggere la lezione a Maria.*

   1. .....................      4. .....................
   2. .....................      5. .....................
   3. .....................

191

F. *Form new sentences using object pronouns.  Then repeat the correct response after the speaker.*

Esempio:  Faremo visitare il museo all'amico.
          *Glielo faremo visitare.*

1.  Faremo vedere l'autore a Adriana.

2.  Farò sapere la leggenda agli amici.

3.  Faceva conoscere la città a me.

4.  Abbiamo fatto visitare il palazzo a voi.

5.  Avrei fatto lasciare la campagna al giovane.

6.  Facevano vedere il podere all'ospite.

PART II

III. Una conversazione

*Listen to the following conversation between Mr. and Mrs. Maratti. Then you will hear six questions about the conversation. Write the correct response to each question in the space provided. Both the conversation and the questions will be read twice.*

Domande:

1. _____

_____

2. _____

_____

3. _____

_____

4. _____

_____

5. _____

_____

6. _____

_____

IV. Esercizio scritto

*Listen to each sentence as it is read. Then write it down during the pause provided. Each sentence will be repeated twice.*

1. _____

_____

2. _____

_____

3. _____

_____

4. _____

_____

5. _____

_____